Los rojos de ultramar

Jordi Soler

Los rojos de ultramar

LOS ROJOS DE ULTRAMAR
D. R. © Jordi Soler, 2004

ALFAGUARA

De esta edición:
D. R. © Santillana Ediciones Generales, S. A. de C. V., 2005
Av. Universidad 767, Col. del Valle
México, 03100, D. F. Teléfono 54 20 75 30
www.alfaguara.com.mx

- Distribuidora y Editora Aguilar, Altea, Taurus, Alfaguara, S. A.
  Calle 80 Núm. 10-23, Santafé de Bogotá, Colombia.
- Santillana S. A.
  Torrelaguna 60-28043, Madrid, España.
- Santillana S. A.
  Av. San Felipe 731, Lima, Perú.
- Editorial Santillana S. A.
  Av. Rómulo Gallegos, Edif. Zulia 1er. piso
  Boleita Nte., 1071, Caracas, Venezuela.
- Editorial Santillana Inc.
  P. O. Box 19-5462 Hato Rey, 00919, San Juan, Puerto Rico.
- Santillana Publishing Company Inc.
  2105 NW 86th Avenue, 33122, Miami, Fl., E. U. A.
- Ediciones Santillana S. A. (ROU)
  Constitución 1889, 11800, Montevideo, Uruguay.
- Aguilar, Altea, Taurus, Alfaguara, S.A.
  Beazley 3860, 1437, Buenos Aires, Argentina.
- Aguilar Chilena de Ediciones Ltda.
  Dr. Aníbal Ariztía 1444, Providencia, Santiago de Chile.
  Santillana de Costa Rica, S. A. La Uruca, 100 mts. Oeste de
  Migración y Extranjería, San José, Costa Rica.

Primera edición en Alfaguara: abril de 2005
Primera reimpresión: junio de 2005

ISBN. -970-770-114-5

D. R. © Diseño: Proyecto de Enric Satué
D. R. © Cubierta:
Fotografía del carnet militar del abuelo del autor

Impreso en México

Como esta vida que no es mía
Y sin embargo es la mía,
Como ese afán sin nombre
Que no me pertenece y sin embargo soy yo.

LUIS CERNUDA

And what if my descendents lose the flower.

W. B. YEATS

La guerra de Arcadi

Había una vez una guerra que empezó el 11 de enero de 1937. Lo que pasó antes fue la guerra de otros. Cada soldado tiene su guerra y la de Arcadi empezó ese día. Se alistó como voluntario en la columna Maciá-Companys y salió rumbo al frente. Así empiezan las historias, así de fácil. A veces se toma una decisión y, sin reparar mucho en ello, se detona una mina que irá estallando durante varias generaciones. Quizá la decisión contraria, la de no alistarse, también era una mina, no lo sé, sospecho que en una guerra nadie puede decidir en realidad nada. Martí, el padre de mi abuelo, mi bisabuelo, se había inscrito días antes en la misma columna, había decidido que no soportaba más su cargo de jefe de redacción de *El Noticiero Universal,* un periódico que llevaba meses dedicando su primera plana a las noticias de la guerra. Una mañana salió como siempre de su oficina, bebió café de pie, compró tabaco y en lugar de regresar, como era su costumbre, fue a escribir su nombre en la lista de voluntarios. Estaba fatigado de escribir sobre la guerra de los otros, quería empezar la suya, pelear por la república en una trinchera y con un arma. Luego se presentó en la oficina del director del periódico para comunicar su decisión, que era irrevocable, inaplazable, urgente. El director le dijo, para no perderlo, o quizá por el miedo que le daba el gesto y el arma con que había irrumpido en su oficina, que fuera su corresponsal, que le enviara noticias del frente.

Martí comunicó la noticia después de la cena, lo dijo como si nada, mientras se servía un trago de anís que era el preámbulo de su salida nocturna. Me voy mañana, anunció sin dejar de mirar, con cierta preocupación, una desportilladura que tenía su copa. No pudieron nada ni la desesperación de su mujer, ni las caras de asombro de sus tres hijos. Esa noche Martí salió a jugar cartas, o eso dijo. Arcadi y Oriol, sus hijos, aprovecharon su ausencia para contemplar el arma, una carabina desvencijada que compartía un receptáculo floreado con una tercia de paraguas. Al día siguiente se fue como lo había anunciado, de madrugada, sin que nadie lo advirtiera; tenía 52 años y un deseo inaplazable de reencuadrar su historia personal. Me pregunto qué tanto jugó la voluntad en la decisión de mi abuelo Arcadi, quizá fue mi bisabuelo quien detonó la mina. En sus memorias Arcadi consigna, supongo que para evitar especulaciones como ésta, los dos acontecimientos que lo llevaron a enlistarse en el frente. En la primera está él, en la azotea de un edificio, mirando el saldo de un bombardeo reciente: *seis columnas enormes de humo que oscurecían el cielo de Barcelona.* La segunda debe de ser producto del mismo bombardeo, no estoy seguro, en esa parte su escritura tiende a lo caótico, está más preocupado por justificar su alistamiento en la guerra que por describir con precisión esas dos imágenes poderosas, sobre todo la segunda, que consiste en una sola línea breve y atroz: *una pila de caballos muertos en la plaza de Cataluña.* Se ignora una pila de estas dimensiones cuando se está tratando de descifrar en qué momento empezó todo, en qué minuto se tomó la decisión de ir a la guerra, en qué instante cambió de rumbo su vida y la de Laia, su hija, y consecuentemente el mío. La dedicatoria de estas memorias es su clave de acceso: *Me he propuesto al escribir este relato compendiar en pocas cuartillas estos relevantes hechos de mi vida, para que mi hija Laia los conozca un día.* Tengo la impresión de que Arcadi se disculpa con ella, con nosotros, de antemano, por esa historia de guerra que desde entonces había comenzado a heredarnos. También es cierto que esa pila de caballos muertos pudo entonces no ser tan importante para ese hombre que escribía aquellas memorias en la selva de Veracruz, a cuarenta grados de temperatura ambiente, atormentado por las fiebres cíclicas de la malaria, después de haber perdido la guerra y casi todo lo que tenía. En un cuartucho de alquiler, bajo la amenaza de las potencias vegetales que intentaban meterse por la ventana, escribió, sin detenerse, 174 páginas donde narra los pormenores de esa guerra que perdió. Había zarpado un mes atrás del puerto de Burdeos, con destino a Nueva York, en un viaje lleno de dificultades y de una incertidumbre que fue creciendo a medida que se acercaba a México en un tren tosigoso que lo llevó hasta la frontera, con numerosas escalas de por medio; una de ellas, la más larga, en la estación de San Luis Missouri, donde el tren no había querido toser más y había enviado a sus pasajeros a vagar por ahí, mientras un mecánico, con medio cuerpo metido en la panza de la máquina, intentaba reparar el desperfecto. Arcadi descubrió ahí, junto a la estación, en una calle polvorienta con categoría suficiente para fungir como plató de western, un puesto de ayuda para refugiados españoles, cosa que le pareció insólita, una visión de la familia de los espejismos que, haciendo bien las cuentas, no era tan extraña: por ahí habían pasado miles de republicanos como él, que iban rumbo a México, atendiendo la invitación del general Lázaro Cárdenas, buscando un país donde establecerse. El puesto de ayuda estaba regenteado, si vale el término en este asunto de caridad, por un grupo de cuáqueros que hacía méritos ayudando a esa legión de soldados en desgracia. El tren tosió de nuevo y lo depositó en la frontera, sus memorias no dicen nada de la impresión que tuvo al poner los pies en México, en Nuevo Laredo, un pueblo inhóspito, resecado por un sol descomedido, lleno de sombrerudos con revólver a la cintura. El comité de recepción de ese país donde pensaba rehacer su vida parecía el casting de una de esas películas que comenzaban a rodarse, llenas de mexicanos malvados que soltaban simultáneamente balazos y carcajadas. Tampoco dice nada de sus impresiones al llegar a Galatea, un pueblo perdido en la selva de Veracruz, donde lo esperaba un pariente lejano de mi abuela, uno de esos aventureros españoles que había caído ahí a trabajar y a hacer fortuna. Arcadi se bajó del autobús con el frac de diplomático que le habían prestado en Francia para que hiciera la travesía sin contratiempos, arrastraba una valija enorme y negra que, al entrar en contacto con el terregal de Galatea, comenzó a levantar una vistosa polvareda; andaba rápido, iba ansioso por entrevistarse con el único nexo que tenía en ese país de película, llevaba su mata de pelo negro hecha un lío, ya era desde entonces como fue siempre, flaco y nervudo, de pies y manos demasiado grandes y con los ojos de un azul abismal. Preguntando llegó a la concesionaria de automóviles, Ford, según me dijo él mismo, que era una de las propiedades de aquel nexo único. El pariente lejano de mi abuela se fue haciendo, en cuestión de minutos, mientras acariciaba con una mano gorda y chata el cofre del nuevo modelo 1941, mucho más lejano. En un monólogo breve y devastador le dijo que no estaba dispuesto a ayudar a un rojo de mierda que había puesto en peligro la estabilidad de su país, que, afortunadamente, ya para entonces, marchaba sobre ruedas bajo la conducción del caudillo de España. Arcadi dio media vuelta y se fue pensando que si había sobrevivido una guerra y un campo de prisioneros, bien podría abrirse paso en esa maleza que brotaba por todas partes, en una grieta de la acera, a media calle por las rejas de una alcantarilla, en la rama que salía de una pared y que le desgarró la manga oscura de su frac diplomático. Antes de hacer cualquier cosa buscó ese cuarto de alquiler donde la selva quería meterse y se entregó a la tarea de exorcizarse, de sacarse de encima, a fuerza de escribirlo, al demonio de la guerra.

Aquellas páginas permanecieron ocultas medio siglo sin que Laia, mi madre, su destinataria original, tuviera idea de su existencia, hasta que hace algunos años, durante una visita que le hice a La Portuguesa, Arcadi se puso a hurgar en una caja de cartón donde conservaba algunas pertenencias, sacó un mazo de hojas y me lo dio, esto va a interesarte, dijo. Leí las páginas esa misma noche y durante los días siguientes le estuve dando vueltas a la idea de hacer algo con esa historia, no es una obra que pueda publicarse, está llena de errores e imprecisiones, además, y esto fue lo que acabó echando por tierra aquel primer intento, pensé que la guerra civil era un tema amplia y minuciosamente documentado y que una milésima versión de las desventuras de los refugiados resultaría a estas alturas poco interesante, no alcanzaba a vislumbrar, era imposible hacerlo entonces, que debajo de esas líneas subyacía la historia de cinco ex combatientes republicanos que décadas después de haber perdido la guerra, en plenos años sesenta, desde su trinchera en la selva de Veracruz, seguían todavía batallando contra el general Franco. Seguramente por la situación extrema en que fueron escritas esas páginas, la historia brinca, de forma anárquica, del thriller de una batalla donde se está jugando el futuro de la república a los pormenores de una juerga aburridísima en las afueras de Belchite. A pesar de todas estas observaciones, dos semanas después regresé, me subí al coche armado con un magnetófono y media docena de cintas y conduje las cuatro horas que separan a la Ciudad de México de La Portuguesa. Una vez que crucé la sierra que divide a Puebla de Veracruz bajé la ventanilla, como hago siempre que estoy ahí, para empezar a contagiarme de la humedad y del olor que hay en esa zona del mundo, donde nací, hace cuarenta años, por obra de esa mina que Arcadi detonó el 11 de enero de 1937.

En aquella estancia intenté, durante tres días, grabar los pasajes que necesitaba para rellenar los huecos que tenía la historia, si es que existían esos pasajes, y si no el esfuerzo de todas formas serviría para convencerme de que había que desechar la posibilidad de rescatar esas páginas. La tarea de grabar a Arcadi fue un estira y afloja, cada vez que echaba a andar el magnetófono él cambiaba el tema o se sumía en un mutismo del que era muy difícil sacarlo. Grabé aquellas cintas casi contra su voluntad, aun cuando él había accedido a aclararme, o a contarme bien y con detalles, algunas partes de la historia, y a pesar de que me había hecho jurarle que no iba a usar ese material hasta que él estuviera muerto, y después de decirme eso fijaba sus ojos azules lejos, más allá, mientras se rascaba la nuca o la barba con la punta de su garfio. De todas formas, y de esto me enteraría años después, Arcadi no me contó toda la historia, omitió el complot que él y sus socios habían planeado en los años sesenta, un capítulo crucial que ni siquiera menciona en esas cintas.

Regresé a la Ciudad de México con la idea firme de abandonar el proyecto de las memorias de Arcadi. Guardé el mazo de hojas en un sobre junto con las cintas de testimonios, inútiles, pensaba entonces. Por otra parte Arcadi, al margen de su manía mística y de la vida excéntrica que al final llevaba, era un viejo saludable y parecía que no iba a morirse nunca y ante esa perspectiva me parecía siniestro meterme en esa historia que necesitaba de su muerte para ver la luz. Años más tarde, muchos menos de los que yo esperaba, le brotó un cáncer que le hizo lo que no había podido ni la guerra, ni Argelès-sur-Mer, ni Franco, murió en los huesos, en unas cuantas semanas, consumido por la enfermedad, y se llevó a la tumba el secreto que, justamente entonces, yo estaba a punto de descubrir, a partir de un episodio que me había sacudido de arriba abajo en Madrid, en un aula de la Universidad Complutense. Aprovechando mi paso por esa ciudad, durante unas vacaciones largas que me había dado la Facultad de Filosofía y Letras de la UNAM, donde doy clases, mi amigo Pedro Niebla me invitó a charlar con su grupo de alumnos, unos cuarenta jóvenes que estudiaban periodismo, no recuerdo bien si la carrera o un máster, pero en cualquier caso se trataba de alumnos mayores, de estudiantes que estaban a punto de salir al mundo a buscarse un empleo en algún periódico o en algún canal de televisión. La idea de Pedro, que al principio me pareció ridícula y desproporcionada, era que les hablara de mi quehacer en la facultad y de algunos artículos que he publicado, todos en revistas académicas, sobre el mundo prehispánico. La invitación me pareció ridícula porque no veía por dónde podía interesarle a ese grupo de futuros periodistas la vida soporífera de un investigador, pero Pedro insistió tanto que acabé accediendo y me dejé conducir frente a sus alumnos, una mañana fría de octubre en que me apetecía vagar por la ciudad, beber café, comprar libros, cualquier cosa menos encerrarme en un aula a la mitad de mis vacaciones. Diserté durante media hora sobre los dioses en Teotihuacán, elegí ese tema porque está lleno de personajes mitológicos que, supuse, iban cuando menos a divertirlos, y fallé de tal manera que un alumno se puso de pie, cuando explicaba la simbología de la pirámide de la luna, e interrumpiendo lo que estaba diciendo me preguntó a bocajarro que por qué si yo era mexicano tenía un nombre tan catalán. Me detuve en seco desconcertado y al borde del enfado, pero enseguida comprendí que se trataba de una pregunta pertinente, por más que a mí esa situación me había parecido siempre normal y sin ningún misterio, así que conté a grandes rasgos la historia del exilio de mi familia, lo hice rápido, en no más de diez minutos. Cuando terminé mi explicación veloz los alumnos se quedaron mirándome desconcertados, como si acabara de contarles una historia que hubiera sucedido en otro país, o en la época del imperio romano. Pero ¿por qué tuvieron que irse de España?, preguntó una alumna, e inmediatamente después expresó su duda completa: ¿y por qué a México? Entonces yo, más confundido que ellos, les pregunté que si no sabían que más de medio millón de españoles habían tenido que irse del país en 1939 para evitar las represalias del general Franco. El silencio y las caras de asombro que vinieron después me hicieron rectificar el rumbo, dejar de lado la mitología teotihuacana, y ponerme a contarles la versión larga y detallada del exilio republicano, esa historia que ignoraban a pesar de que era tan de ellos como mía.

De regreso en México, espoleado por mi experiencia en la Complutense, sintiéndome un poco ofendido de que el exilio republicano hubiera sido extirpado de la historia oficial de España, busqué el sobre que contenía las memorias y las cintas que le había grabado a Arcadi en La Portuguesa y que llevaba años guardado en un cajón de mi oficina. Lo puse sobre mi escritorio y lo observé detenidamente como si se tratara de una criatura lista para la disección. Lo abrí como quien abre un sobre, no me di cuenta de que estaba detonando una mina.

Saqué el mazo de hojas y me enfrenté con esas memorias por segunda vez. En esa nueva vuelta atrapó mi

atención un pasaje sobre el quehacer de artillero de Arcadi, en el que no había reparado durante la primera lectura: está él en la zona del Ebro dirigiendo su batería hacia
unas coordenadas que le va dictando la voz, que sale por
el auricular de un teléfono, de un soldado lejano que está
subido en un observatorio desde donde puede verse con
facilidad el campo de batalla. Arcadi no ve el campo, no
ve en realidad nada, está en el piso camuflado detrás de
unos matorrales y dispara media docena de cargas durante varios minutos, hacia la dirección que le indica la voz
del teléfono. *De pronto, escribe Arcadi, pasaron tres aviones
enemigos volando muy bajo sobre mi espalda. Además del
escándalo y del polvo que levantaron, dejaron un persistente
olor a fuel en el aire. Pasaron de largo, pero un minuto después, antes de que desaparecieran el olor y el ruido de sus mo-
tores, oí cómo daban la vuelta en redondo y comenzaban a
regresar: la maniobra que hacían siempre que localizaban
un objetivo y optaban por regresar y hacerlo suyo. La voz del
teléfono, medio ahogada por el estrépito de los aviones, dijo
lo que yo ya oía venir, «van a por ustedes». Desde mi posición,
parcialmente camuflado y pegado al suelo, no veía a los que
estaban junto a mí, el ruido de las máquinas se volvió ensordecedor y un segundo después oí la primera detonación, la primera bomba que caía con un estruendo que se mezclaba con
el motor de los tres junkers, y, un instante después, otra que
cayó mucho más cerca y produjo un socavón que hizo temblar el suelo y mandó a volar al aire una tonelada de tierra
y escombros que me cayó encima y me cubrió por completo, y
un instante más tarde, no más de un segundo, sentí a uno de
los junkers pasando muy cerca de mi cuerpo, tanto que oí cómo abría las compuertas, con un chirrido metálico que no
olvidaré nunca, y cómo desde esa altura comenzaba a caer
la siguiente bomba. En la fracción de segundo que pasó antes de la explosión sentí, aun cuando estaba todo cubierto de*

tierra, que me caía en la espalda una gota hirviente de fuel.
La bomba explotó unos metros adelante e hizo otro socavón
y levantó otra tonelada de escombros. Los junkers, seguros de
que me habían liquidado, se fueron. Quise gritar para ver si
alguien vivía a mi alrededor, pero no pude hacerlo porque te-
nía la boca llena de tierra.

Era la segunda vez que leía ese pasaje y hasta entonces, quizá porque en la ocasión anterior me había dejado impresionar por el bombardeo, no había reparado en
la dinámica delirante del artillero: un hombre situado entre
el puesto de observación y las filas enemigas, disparando
cada vez que se lo ordena una voz por teléfono, tratando de
hacer blanco en un ejército que nunca ve. ¿Qué pensaría
Arcadi después de esa media hora de disparos al vacío? Cada vez que le comunicaban que había hecho blanco, existía
la posibilidad de que la granada que había disparado hubiera destruido un almacén o una casa, pero también podía
ser que hubiera matado a un soldado, o a varios, cuando
el tiro había sido afortunado, si es que vale el término para el acto de disparar y no saber, a ciencia cierta, cuánto
daño se hizo, si se mató a alguien, o si no se mató. ¿Cómo
lidiaba Arcadi con esto? Supongo que algo en él descan-
saba cuando la voz del teléfono le comunicaba que había
fallado, que era necesario corregir el tiro, y entonces él podía imaginar, con cierto alivio, el hueco que había producido su granada en el suelo, pero ¿qué sentía cuando esa
voz distante le comunicaba que había dado en el blanco?
Eso le pregunté, de manera torpe y brusca, en las cintas de
La Portuguesa. ¿Y sabes si mataste a alguien?, se oye que
le digo. Después viene un silencio incómodo en el que Arcadi, me acuerdo muy bien, se miró detenidamente el garfio, primero un costado, luego el otro y luego arrugó la
frente y la nariz con cierta molestia, como si no hubiera dado con lo que buscaba; después levantó la cara y puso sus

ojos azules en un punto lejano antes de decirme: no sé si vas a entender esto pero aquélla era la guerra de otro.

En una de las visitas fugaces que hizo Arcadi a Barcelona cuando peleaba en el frente del Ebro, dejó embarazada a mi abuela, con quien se había casado, unos meses antes, en otra visita igual de fugaz. De aquel embarazo nació Laia, mi madre; salió al mundo en medio de un bombardeo, rubia como mi abuela y con los ojos de un azul abismal, idénticos a los de su padre.

Arcadi, con la ayuda de un subordinado flaco y de dientes largos al que llamaban Conejo, metía las piezas de su mortero a un camión cuando se enteró de que Laia había nacido. Su batería empezaba a perder terreno, era el principio de aquel repliegue ya imparable que terminaría llevándoselos hasta Francia. La imagen civil de aquel repliegue era una fila interminable de gente, con su casa y sus animales a cuestas, que caminaban rumbo al norte buscando un territorio menos hostil donde asentarse, una fila de hombres y mujeres polvosos y cabizbajos, con niños de brazos o grupos de niños, igual de polvosos, correteando alrededor de ellos, y un montón de animales balando, o ladrando o haciendo ruidos de gallina. Arcadi y el Conejo transportaban las piezas del mortero cuidándose de no darle un golpe a alguno de la fila que pasaba por la carretera junto al camión cuando, desde otro camión que pasó junto a ellos, se asomó Oriol, el hermano de Arcadi, y le gritó, porque venía de Barcelona y ahí se había enterado: eres padre de una niña. Eso fue todo, el camión de Oriol se perdió de vista y Arcadi se quedó inmóvil, con un fierro largo en la mano, tratando de digerir la noticia, mientras el Conejo le daba unas palmaditas de felicitación en la espalda. Dos días después consiguió un permiso para ir a conocer a Laia, le tomó toda la noche llegar a Barcelona porque las vías del tren estaban en mal estado y el reciente bombardeo había estropeado los accesos a la ciudad. Arcadi registra en sus memorias el momento en que llega al piso de la calle Marià Cubí, donde entonces vivían, y su esposa lo conduce a la habitación donde estaba Laia. Ahí, frente a su hija recién nacida, reflexiona sobre la calamidad de haber nacido en plena guerra: *La vi ahí, envuelta en trapos y metida en una cuna demasiado grande, y lo único que sentí fue angustia, angustia porque dentro de unas horas tendría que dejarla sola en esa ciudad que los franquistas bombardeaban todo el tiempo. Luego pensé que en esa angustia estaba el germen del amor paterno.* Después de esta reflexión más bien extraña cambia de tema y no dice más de ese acontecimiento que debió ser mucho más importante para él, o quizá no, la verdad es que nunca he podido identificar muy bien las motivaciones de Arcadi, ya desde entonces era un hombre bastante hermético y un poco fantasmal.

Más adelante en sus memorias, Arcadi narra un bombardeo que mira desde las alturas de Montjuïc, cuando hacia el final de la guerra habían trasladado su batería a Barcelona, en la etapa en que empezaba a agudizarse el repliegue de las tropas republicanas. *De pie frente a los amplios ventanales de Miramar vigilaba el horizonte con unos prismáticos, aunque se trataba de una vigilancia de rutina; la noche anterior, gracias a cierta información detectada con los fonolocalizadores y los radiogoniómetros, nos habíamos enterado de que esa madrugada la aviación facciosa planeaba un bombardeo sobre Barcelona. Amanecía y los destellos rojos y amarillos, sumados a la niebla que había sobre el Mediterráneo, dificultaban considerablemente la visibilidad, tanto que ni yo ni el centinela que vigilaba en el otro extremo percibimos nada hasta que tuvimos a la aviación enemiga muy cerca, a tiro. Las baterías estaban permanentemente preparadas, así que activamos la sirena y corrimos, cada quien detrás de su cañón. Yo encuadré en la mira a un par de aviones Breguet que volaban ligeramente separados del escuadrón y abrí fuego contra ellos, pero la granada, aunque estalló y produjo una humareda negra y de olor tóxico, no salió del cañón. Lo mismo les sucedió a otros dos artilleros, de los seis cañones nada más funcionaron tres y ninguno de éstos dio en el blanco. Unos segundos después pasó el escuadrón intacto sobre nosotros y comenzó a bombardear Barcelona, densas columnas oscuras de humo se levantaban en la ciudad después de las explosiones, los tonos rojizos del amanecer le daban un toque apocalíptico a ese espectáculo que yo miraba desesperado, junto a mi cañón, con las manos en la cabeza y el alma en vilo, pues varias de las columnas se levantaban desde Sant Gervasi, el barrio donde estaban mi mujer y mi hija Laia, recién nacida. La situación tenía algo de ridículo, ¿cómo íbamos a defender Barcelona con ese armamento inservible? Junto a mí estaba Prat, un artillero rubio y gordo, de piernas cortas y manos extrañamente rojas, que después huiría con nosotros cuando abandonáramos Barcelona, estaba igual que yo junto a su cañón, contemplando cómo las columnas negras ascendían contra el cielo rojo y golpeándose con su mano roja un muslo mientras repetía collons, collons, collons, con un ritmo molesto y obsesivo. Horas más tarde me enteré de que uno de los Breguets que se me había escapado había bombardeado un orfanatorio donde habían muerto catorce profesores y ciento cuatro niños, un horror del que hasta hoy me siento muy culpable.*

Mi madre pasó su primer año de vida escapando de las bombas que caían de los aviones de guerra. Escapaba en brazos de mi abuela, que la traía de acá para allá, según en qué sitio las sorprendieran las sirenas de alarma.

Tenían que salir de casa todos los días para hacer la fila en la oficina de racionamiento, se trataba de un esfuerzo de varias horas que producía resultados modestos: un trozo de pan, una lata de leche condensada, una pieza de pollo que no encajaba en ningún rincón de la anatomía de los pollos. Cuando la alarma las sorprendía en la fila corrían a un refugio, que era distinto del que utilizaban cuando el bombardeo las pescaba a medio camino. En realidad no eran refugios, uno era un sótano y otro el entresuelo de un garaje, y además no siempre estaban disponibles. A veces resultaba menos peligroso capotear las bombas a la intemperie que apretujarse con todo el vecindario en esas ratoneras que, en caso de recibir un impacto, iban a desmoronarse igual que el resto de las construcciones. En casa el asunto era distinto, había una dinámica rigurosamente establecida. El perro percibía el ruido de los aviones minutos antes de que sonaran las sirenas de alarma y comenzaba a aullar como perro loco al tiempo que emprendía una carrera que terminaba debajo de la cama de mi abuela. Todos en esa casa habían llegado a la conclusión de que un perro tan perceptivo tenía que saber dónde estaba el mejor lugar para refugiarse, de manera que en el momento en que se disparaba la alarma del perro, mi abuela corría, con mi madre en brazos, a meterse con él debajo de la cama y detrás de ellas se metían mi bisabuela y Neus y la mujer de Oriol. Desde ese refugio sofocante que se había inventado el perro oían las cinco apretujadas, atemorizadas, primero la alarma aérea y luego el tremor de los aviones de guerra, que oían crecer, primero un punto que se iba convirtiendo, en cuestión de segundos, en murmullo, en cuestión de segundos, en ruido atroz que en cuestión de segundos era ensordecedor, insoportable, un estruendo sostenido que hacía llorar al perro, un llanto discreto, bajito, de criatura que se sabía perdida, a merced de ese ruido que en cuestión de segundos se ramificaba en explosiones, una, dos, cuatro, doce, y en cuestión de segundos una que caía mucho más cerca y que hacía desaparecer momentáneamente el estruendo, que en cuestión de segundos quedaba olvidado porque acababa de caer otra todavía más cerca que ponía a llorar a las mujeres bajito, como todas las criaturas que se saben perdidas, mi abuela abrazaba a mi madre con una fuerza desmesurada, la apretaba contra su pecho, quería metérsela al cuerpo y regresarla al limbo, y en cuestión de segundos caía otra bomba todavía más cerca y en cuestión de segundos la onda expansiva que entraba por la ventana y volcaba muebles y rompía cosas y mi abuela apretaba más a mi madre y pensaba en mi abuelo y en que todo iba a acabarse cuando en cuestión de segundos cayera, todavía más cerca, la siguiente bomba, que se retrasaba, que no llegaba, que al final no caía, que en su lugar quedaba un estruendo que se alejaba y que en cuestión de segundos era un punto que desaparecía. Entonces las mujeres salían de debajo de la cama, aliviadas, exultantes, a contemplar los estropicios de la ola expansiva. El perro salía después, agachado, temeroso de que en cualquier momento volviera a dispararse su alarma interior. Una vez, al salir de debajo de la cama, mi abuela vio que mi madre tenía sangre en la cabeza, y cuando iba gritar del susto reparó en que la sangre le salía a ella de la boca, de una muela que se había partido de tanto apretar cuando trataba de regresar a mi madre al limbo. La guerra desvela una realidad alterna, produce situaciones que luego son difíciles de comprender, de locos, puedo ver a mi abuela con sangre en la boca y su muela en la mano, parada en el centro de su piso hecho trizas, riendo a carcajadas, eufórica, feliz.

Llegó el día en que tuvimos que abandonar la batería de Miramar, escribe Arcadi en sus memorias, *la situación, ya de por sí insostenible por la desorganización de los mandos superiores y por el mal estado en que se encontraba nuestro armamento, se agravó la tarde en que llamamos por teléfono al general Roca, nuestro superior directo, y cogió la llamada un sargento que nos indicó, un poco avergonzado, que el general había sentido a las tropas franquistas demasiado cerca y que ya para esa hora iba camino a la frontera para salir cuanto antes de España. Aquella noticia equivalía al anuncio de la disolución de nuestra batería y así fue tomada por todos los soldados y oficiales destacados en Miramar, estaba claro que cada quien tendría que enfrentar la llegada del ejército enemigo como mejor pudiera. Esa noche discutí, con cuatro oficiales más o menos afines, la posibilidad de irnos juntos a Francia, ninguno pensaba quedarse en España a resistir la previsible represión que el general Franco iba a desplegar contra los oficiales del bando perdedor. Montseny, un teniente tarraconense excesivamente parlanchín que tenía pinta de soldado romano, con quien había coincidido en la batería desde que peleábamos en el frente de Aragón, nos dijo que se había enterado de que el presidente Azaña ya estaba en una población del norte, listo para cruzar la frontera francesa. Los otros oficiales afines eran Prat, el artillero gordo y rubio que tenía las manos extrañamente rojas; Romeu, un valenciano bajito y de gafas al que no vi despeinarse nunca, ni en los peores bombardeos; y Bages, un barcelonés enorme y velludo que podía pasar, en un instante, de la conducta bestial al comportamiento beatífico, un hombre extremoso con quien había trabado una sólida amistad. El dato de que hasta el presidente Azaña se había ido nos hizo decidir, ya sin ninguna clase de remordimiento, que al día siguiente dejaríamos Barcelona en el Renault blanco que usaba Montseny.*

Pasé esa noche en vela tratando de digerir lo que iba a suceder al día siguiente, tendría que irme solo a Francia, sin mi mujer y sin mi hija, quién sabía por cuánto tiempo, dejarlas a las dos en esa ciudad que estaba a punto de ser ocupada por las tropas franquistas. A la mañana siguiente, muy temprano, fui a despedirme de ellas al piso de Marià Cubí, donde para esas alturas también vivían mis padres, que habían perdido su casa en uno de los bombardeos, mi hermano Oriol con su mujer y Neus, mi hermana. El ambiente en el piso era demoledor, Oriol estaba en una esquina del salón convaleciente de una esquirla de metralla que le había entrado en una nalga, provocándole una herida que se había complicado luego de una intervención rústica que le habían practicado los doctores del frente. Oriol siempre había sido más alto y más corpulento que yo, pero entonces lo vi muy disminuido, más que sentado en el sillón parecía que el sillón se lo estaba devorando. En el otro extremo estaba mi padre, también convaleciente, con una cobija de rombos sucia encima de las piernas, se había roto un brazo y un fémur en una estampida de pánico por un bombardeo en la plaza de Cataluña. Las mujeres se movían con dificultad por el piso, que era demasiado pequeño para tanta gente, la mujer de Oriol y mi hermana Neus iban de un lado a otro con compresas y linimentos y, en el centro de aquel cuadro trágico, mi hija Laia risueña, ajena a toda aquella decadencia, comiéndose la papilla de leche que le daba su madre. «El ejército de Franco acaba de cruzar el río Llobregat, estarán aquí en un par de horas», les dije. Todos se me quedaron mirando de una forma que partía el alma, se hizo un silencio espeso que hacía juego con la atmósfera viciada que se respiraba en el salón. Mi mujer habló primero, resolvió con una sola frase la situación, «tú desde luego tendrías que salir de España», me dijo, y en el acto mi padre salió de su postración para suplicarme que me llevara a Oriol. «Y contigo qué va a pasar», le dije.

«*Nada*», *contestó él, «soy un viejo inofensivo en el que no va a reparar nadie». En ese momento me pareció que lo dicho por mi padre tenía sentido y simultáneamente pensé que Oriol en esas condiciones sería un lastre para nuestra huida, pero la mirada suplicante de mi padre me orilló a cargar con mi hermano, aun cuando me parecía una descortesía hacerlo sin haberlo consultado antes con los otros oficiales. Me despedí de mi mujer y de mi hija, más aprisa de lo que hubiera deseado porque ya me esperaban en la calle con el motor en marcha. Ninguno de mis compañeros dijo nada cuando Oriol, arrastrando con dificultad su aspecto cadavérico, se amontonó con nosotros en el coche. Bajamos a toda velocidad por la calle Muntaner hasta la Gran Vía y de ahí enfilamos rumbo a Badalona. Las calles estaban llenas de basura y de escombros, por todas partes ardían hogueras, y las únicas personas que podían verse eran soldados buscando salir de la ciudad. Cerca de Badalona nos detuvimos al pie de un árbol y quemamos en una hoguera el fichero de la batería.*

Después de ese acto que marcaba el final de su vida militar, se subieron los seis al Renault y enfilaron rumbo a Palafrugell, cada uno cavilando sobre el futuro que se disparaba en intensidades desiguales, lo mismo llegaba hasta una comida años después, rodeados de hijos y nietos con la guerra reducida a una anécdota, que se detenía en seco frente a la penumbra de la siguiente hora. Por la cuneta caminaba esa fila interminable de personas que llevaban su casa a cuestas, hombres, mujeres y niños cargando cajas, bultos, costales, animales vivos, esa misma fila que había descrito Arcadi meses antes cuando peleaba en el frente del Ebro y que ahora servía de complemento para una preocupación mayor, más concreta, que era la herida de su hermano Oriol, que en el espacio reducido del interior del coche despedía un olor que los obligaba a llevar las ventanillas abajo, aun cuando el aire frío de enero, agravado por la velocidad con que avanzaba el coche, era por momentos insoportable. Arcadi sentía cómo su hermano tiritaba, tenía fiebre y la costura precaria que le habían hecho los médicos del frente supuraba cada vez más, incluso notaba que el manchón húmedo que había ido apareciendo en el muslo de su hermano se extendía hacia sus propios pantalones. Algo martillaba en el motor, el clan clan de alguna pieza floja que se convertía en escándalo cuando el coche alcanzaba cierta velocidad. Arcadi se sentía atravesado por sensaciones intensas y contradictorias, quería ser solidario con Oriol y hacerse responsable de él hasta que estuvieran fuera de peligro, pero por otra parte lo percibía como un lastre y esa herida putrefacta que le manchaba los pantalones le provocaba un asco indecible, le repugnaba y en el acto sentía un aguijonazo de culpabilidad que lo mandaba de vuelta a sentir solidaridad con él y con su herida putrefacta que era a fin de cuentas carne de su carne. Cuando llegaron a Palafrugell el aspecto de Oriol había empeorado, no había dejado de tiritar y sus esfuerzos por disimularlo, por no ser identificado como el lastre que cíclicamente percibía su hermano, le desarreglaban el gesto. Empezaba a hacerse de noche, llevaban todo el día apretujados a bordo del Renault sin probar bocado y respondiendo con monosílabos a la conversación torrencial de Montseny. Entrando al pueblo Romeu dijo que un amigo de su padre vivía ahí, se llamaba Narcís y tenía una casa de piedra, era todo lo que recordaba, había estado ahí de niño, no sabía con qué motivo. Por las calles deambulaban individuos de esa fila de gente con su casa a cuestas que los perseguía desde los tiempos del frente del Ebro, buscaban un rincón donde pasar la noche y un alma caritativa que les diera un pan. Aunque era difícil pedir menos, la mayoría se iba de Palafrugell sin conseguir ninguna de las dos cosas.

Preguntando hallaron la casa de Narcís. Romeu tocó la puerta para ver si podían darles de comer y permitirles descansar un poco, calculando, claro, que Narcís recordaba la visita de su padre y suponiendo que lo seguía teniendo en buena estima. El resto observaba cómo su colega, impecablemente peinado y ajustándose cada dos por tres sus gafas de miope, hablaba y gesticulaba frente a un viejo de barba y cómo señalaba con énfasis hacia donde estaban ellos. En determinado momento el viejo se llevó la mano a la frente y sonrió, más que sonreír hizo una mueca de asombro, como quien distingue en un rostro adulto los rasgos del niño que fue. La mujer de Narcís se ocupó inmediatamente de Oriol, lavó y desinfectó la herida y sustituyó el vendaje pegostioso y maloliente por dos pedazos limpios de sábana que fue trenzando mientras hablaba de cómo era su pueblo antes de la guerra. Con la suma de lo poco que había, un puño de cada cosa, la mujer de Narcís confeccionó una sopa que alcanzaba para todos. Los demás hablaban a gritos en la sala, animados por la proximidad de la cena, o del final de la guerra, no sabían, claro, que lo que sigue después de la guerra suele ser peor que la guerra misma. Cuando llegó la sopa Narcís hurgó en una estantería y sacó una botella de vino que estaba escondida detrás de una enciclopedia, la guardaba para una ocasión especial y qué ocasión más especial, les dijo, que ver cómo tu país se va a la mierda. Después de cenar Oriol se fue a dormir, era tarde y habían decidido aceptar la invitación completa, pasar la noche ahí y reanudar el viaje a la frontera al día siguiente. A pesar de la curación la herida había vuelto a supurar, Arcadi vio otra vez la mancha fresca en los pantalones cuando Oriol subía la escalera. Después de la cena, mientras Montseny aturdía al anfitrión con una decena de anécdotas, Bages trató durante media hora infructuosa de localizar Radio Barcelona en un aparato que había ahí, manipulaba el dial con brusquedad e intermitentemente, buscando una mejor orientación, subía el aparato de arriba abajo, parecía un oso buscándole un ángulo comestible a su presa. Cuando estaba a punto de darse por vencido encontró la frecuencia de una estación de Roma donde un locutor decía, en un italiano pausado que no permitía otras interpretaciones, que Barcelona había sido tomada por el ejército franquista a las dos de la tarde. Nadie dijo nada. En la chimenea ardía un fuego que todos miraban y que servía de coartada para no hablar, como si esperaran la revelación que podía venir del siguiente chasquido del leño que ardía.

Esa noche mi abuelo durmió en la misma habitación que su hermano. *Era la primera vez en meses que dormía en una cama. Recuerdo la acogedora sensación que me produjo el contacto con las sábanas limpias, violentamente contrastado con el tremendo hedor de las heridas de mi hermano,* escribe Arcadi en una de sus páginas.

Al día siguiente reemprendieron el camino hacia la frontera, de manera tan errática que el viaje que podía haberles tomado unas horas terminó haciéndose en diez días. Esa dilación tenía las proporciones de un síntoma, nadie deja su país y a su familia mientras exista la mínima esperanza de resolver las cosas de otra manera. Montseny conducía con un orgullo que no tenía relación con el estado deplorable de su vehículo, iba erguido y con el pecho afuera y hacía unos comentarios que tampoco tenían relación con lo que les estaba sucediendo; Bages iba junto a él, de copiloto, porque era el único que se atrevía a callarlo cuando los aturdía, y además porque no cabía en otro asiento. Atrás iban Arcadi, Oriol, Prat y Romeu, que, por ser el más pequeño de estatura, iba montado entre Prat y Arcadi, no había otra forma de meter a cuatro en un espacio tan reducido. Pasando Peralada notaron que el clan

clan que hacía la máquina empezaba a complicarse con una serie de tirones esporádicos, como si el automóvil se sofocara y momentos después recuperara su respiración normal. En Sant Climent se encontraron a un grupo de colegas artilleros que los llevaron a la reserva general, un campamento que estaba en las afueras donde reinaba un ambiente terminal. Al día siguiente se irían a Francia y ya se implementaban las medidas pertinentes: algunos destruían el armamento pesado que pudiera servirle a los franquistas; otros, en una suerte de ritual alrededor del fuego, quemaban de manera festiva toda la documentación de la reserva. El dinero se distribuía entre oficiales y soldados, cada quien recibía una cantidad según su rango. Durmieron ahí, muertos de frío, indecisos frente a la posibilidad de irse al día siguiente a Francia. En la mañana del 28 de enero el cocinero de la reserva despidió a todos con una calderada de patatas fritas. A las once empezó a correr el rumor de que las tropas enemigas habían desembarcado en Rosas, el personal de la reserva aceleró las maniobras de evacuación y ellos, todavía indecisos pero contagiados por los preparativos de la huida, se unieron al contingente. Sumaron el Renault blanco a la fila de camiones y vehículos pesados, la lentitud del tráfico provocaba que la máquina se fuera asfixiando con más insistencia, después de cada sofocón había que echarla otra vez a andar. Oriol iba recargado en el hombro de Arcadi, dormido o probablemente desmayado, no había nada que hacer en todo caso. Al llegar a la carretera que iba a La Jonquera, el pueblo fronterizo más cercano, se quedaron atascados en medio de una caravana interminable de automóviles, camiones, ambulancias, carretas y animales de ganado. Al cabo de hora y media, cuando el monólogo de Montseny y el olor de la herida de Oriol se hicieron insoportables, efectuaron una votación: Prat, Romeu y Montseny se integraron al contingente de la reserva general, mientras que Arcadi, Oriol y Bages decidieron quedarse en el coche y dar vuelta en redondo. Arcadi hubiera querido integrarse al contingente pero el estado de su hermano se lo impedía, y Bages, por solidario o quizá porque estaba harto de la cháchara de Montseny, había preferido quedarse con él. En la noche cenaron la última lata de carne y durmieron dentro de un autobús abandonado que era mucho más amplio que el interior del automóvil. En la mañana Bages averiguó que la frontera seguía cerrada para civiles y militares, sólo podían cruzar los heridos, lo cual no era una opción para Oriol, que se negaba a cruzar la frontera solo, como irremediablemente, llegado el momento, iba a tener que ser. A partir de aquí comienza una errancia más bien maniaca, regresan a Peralada y de ahí enfilan hacia Port de la Selva, pero el Renault no resiste y lanza el sofocón final a unos cuantos metros de una masía donde la dueña, a regañadientes, les prepara una tortilla y les da agua y un trozo de tela para cambiarle el vendaje a Oriol. Caminando regresan a Peralada, sosteniendo al herido por turnos, ahí permanecen día y medio en una casona habilitada como refugio, viendo cómo llueve sin parar. El 31 de enero Arcadi consigue que una camioneta de Fuerzas del Aire los lleve a Port de la Selva, ahí internan a Oriol en un galerón que servía de hospital, Arcadi le promete que regresará por él en cuanto se abra la frontera y sale de ahí sintiéndose culpable, pero también aliviado y ligero. Luego, todavía aplicando esa dilación que era un síntoma, Bages y él se presentan en la Comandancia de Artillería. *Nos proporcionaron una vivienda bastante confortable, propiedad de un concejal que, en un momento de pánico, había huido a Francia. Encontramos en la alacena cuatro frascos de anchoas que nos sirvieron para comer durante día y medio. Pasamos del uno al cuatro de febrero vagando de aquí para allá sin que nuestros servicios fueran requeridos. El reposo y la limpieza constante de la herida tenían a Oriol de mejor color, aunque el responsable del galerón, un voluntario sin más méritos que su entusiasmo, recomendaba que permaneciera ahí unos días más. El cinco de febrero al atardecer vimos cómo se aproximaba una escuadrilla de aviones. De inmediato sonaron los silbidos y las explosiones de las bombas que lanzaba el enemigo. Bages y yo corrimos a nuestros puestos en la zona de baterías. Un hidroavión comenzó su obra de reblandecimiento arrojando bombas sobre el puerto y la población. Cada diez minutos sonaba la alarma y seguidamente un rosario de explosiones luminosas. A la una de la madrugada, luego de muchas horas de responder a los ataques, cuando estaba claro que nuestra defensa era inútil, apareció el mayor Garrido para dar la orden de evacuación inmediata. Antes de evacuar inutilizamos los cañones, quitamos los cerrojos de las cuatro piezas y los lanzamos al mar. Corrí al galerón donde estaba Oriol internado. Lo encontré dormido. Le expliqué a uno de los voluntarios que de un momento a otro nos iríamos y que necesitaba llevarme a mi hermano. El voluntario me informó de que un vehículo especial, que estaba por llegar, transportaría a los heridos a Francia, que Oriol viajaría mejor atendido y que yo podría reunirme con él del otro lado de la línea fronteriza. Me convenció. Corrí hacia el camión que ya tenía el motor encendido y que se hubiera ido si Bages no interviene para pedirle al chófer que me esperara. Tres horas después nos topamos con una fila de cuatro kilómetros de vehículos que aguardaba para internarse en territorio francés. Decidimos bajarnos del camión y caminar hasta la línea fronteriza. Unos minutos más tarde varios cazas enemigos aparecieron en el cielo. Sus ametralladoras comenzaron a dispararnos. Nos guarecimos en un monte junto al túnel del ferrocarril hasta que terminó el ataque. Tras media hora de escalar empinadas cuestas y descender pendientes resbaladizas, llegamos a la frontera.* Arcadi y Bages llegaron al cuello del embudo. Toda esa fila de gente con su casa a cuestas, que había cruzado el país huyendo de la inminente represión franquista, se agolpaba frente a media docena de garitas improvisadas por la Guardia Alpina francesa. Arcadi escribe una lista, extrañamente jerarquizada, de los componentes de aquel tumulto: *Coches de toda clase y marcas, camiones con soldados, fardos, sacos, cabras, conejos, corderos, campesinos con sus carros tirados por caballos cargados de camas, colchones, alacenas, etcétera.* Les tomó varias horas abrirse paso hasta las garitas. Cuando por fin llegó frente al guardia, un hombre alto de capa azul, Arcadi iba digiriendo la evidencia de que el reencuentro con su hermano en ese tumulto iba a ser muy difícil, probablemente imposible. No le gustó lo poco que lo perturbaba ese pensamiento. El hombre de la capa azul revisó minuciosamente sus documentos, le preguntó dos o tres cosas y le ordenó que entregará sus armas. Arcadi entregó la única que tenía, su pistola Star calibre 7,65 que había cargado durante toda la guerra en una funda que le colgaba del cinturón. También entregó 96 cartuchos que guardaba en su macuto. El guardia echó el arma y los cartuchos en una caja y le hizo una señal para que caminara, ya por territorio francés, hacia una caseta donde tres guardias revisaban las pertenencias de soldados y civiles. Entre las dos casetas mediaba una boca de lobo, una oscuridad total, un fario pésimo. No sé qué percepción del porvenir tendría mi abuelo, quizá pensaba permanecer unos meses en Francia mientras se normalizaba la situación en su país, en lo que el general Franco se tocaba el corazón y decretaba una amnistía. Lo que desde luego no sospechaba era que acababa de dejar España para siempre, que tendría que improvisar el resto de su vida en un enclave de la selva mexicana, que tardaría casi cuarenta años en volver y que entonces se daría cuenta de que el regreso, con tanto tiempo de por medio, era un asunto imposible. Su reloj marcaba las siete y diez, aprovechó el trayecto a la caseta para adelantarlo hasta las nueve y diez, que era la hora de Francia. La maniobra parece una simpleza, si no se piensa que a todo lo que se estaba dejando había que añadirle esas dos horas que se quedarían ahí, estranguladas durante décadas, hasta ese día en que buenamente regresara por ellas. Se formó en la fila a esperar su turno. Una ventisca húmeda y helada lo hizo temblar, estaba oscuro, no podía verse el suelo pero todo parecía indicar que reinaba un lodazal. El mar se oía del lado derecho y, según qué ruta llevara el viento, podía olerse, era un cuerpo imaginario igual que el lodo. La única luz en el horizonte era un foco de filamento temblón que colgaba de un alambre encima de los guardias. Desde su lugar en la fila Arcadi no alcanzaba a distinguir qué tan minucioso era el proceso de revisión, pero dos o tres cosas que oyó, más el culatazo brutal que recibió el campesino que iba tres lugares delante de él, empezaron a desconcertarlo. Miró para todos lados tratando de localizar a Bages, se habían perdido de vista después de la revisión, cosa nada fácil en un hombre tan grande como su amigo, necesitaba mirarlo y que él lo mirara, convencerse los dos con un gesto de que no estaban cometiendo un error garrafal, y en caso de que sí, cometerlo a dúo, con el apoyo y la complicidad del otro. Pero a Bages se lo había tragado el tumulto y además el guardia que ya estaba cerca desaprobaba, o cuando menos torcía la boca, cada vez que Arcadi buscaba a su amigo con la vista. Cuando llegó su turno había conseguido ganar cierto nivel de tranquilidad, pensaba que el gobierno francés deseaba ayudarlos y que sin duda iban a tratarlos como refugiados. Nada más mirar de cerca a los guardias supo que se equivocaba, algo había en sus ojos y en la forma de adelantar la mandíbula que no era buen signo. Entregó su macuto a la mano imperativa que se lo exigía. Los tres guardias se repartían el trabajo de revisar las pertenencias de los refugiados, todos los que entraban al país tenían que irse filtrando por ese cuello de botella. Esas filas enormes que venían viendo desde los días del frente del Ebro terminaban ahí, para continuar nadie sabía dónde. Los guardias estaban uniformados de negro, un negro escrupuloso sin diluciones ni semitonos, llevaban chaqueta de piel y un arma larga que les cruzaba el pecho, eran distintos de los guardias alpinos que habían quedado atrás en las garitas, de capa azul y arma corta colgándoles de la cintura. La mano que le había exigido el macuto también le ordenó que vaciara sus bolsillos en una charola que estaba puesta ahí para ese efecto. Echó un pañuelo blanco, un mechero de yesca y sus papeles de identidad. No tenía intenciones de entregar su reloj, donde guardaba las dos horas estranguladas. El guardia le dijo, con un pronunciamiento de mandíbula, que regresara todo eso a sus bolsillos y luego cogió el macuto y vació su contenido en una zanja en la que Arcadi, distraído por las instrucciones mudas del guardia, no había reparado. Vio cómo fueron cayendo sus objetos en la zanja, una muda de ropa interior, una navaja, unos anteojos para leer, una libreta, un lápiz y una fotografía de mi abuela. Todo fue inmediatamente sepultado, nada más tocando el fondo, con dos enviones de cal que tiró un campesino que estaba de pie junto a un montón blanco, con su pala lista, observando una prestancia que al contrastarse con los andrajos que vestía le daba un aire de loco. Luego el guardia echó también el macuto a la zanja y, después de que el campesino aplicara puntualmente sus dos paletadas, mandó a mi abuelo, con un último pronunciamiento de mandíbula, a formarse en otra fila que ya comenzaba a moverse. Entre esa caseta y lo que estuviera por venir mediaba otra boca de lobo. En la fila caminaban militares y hombres solos, algún proceso de selección había sido aplicado en la frontera, el tumulto había sido espurgado de mujeres, niños y animales. En todo caso la selección no era un buen signo, había hombres ahí que acababan de ser separados de sus mujeres y de sus familias, todo era confuso, la fila era más bien una masa larga que se desplazaba en la oscuridad, pastoreada por un grupo de guardias móviles que no permitían ni que se hablara ni que nadie se quedara rezagado. Un guardia gritaba cuando alguien perdía el paso o trastabillaba y cuando alguno se detenía, por cansancio o porque se había lastimado. Casi siempre el grito salía reforzado por un culatazo. Al parecer las culatas tenían siempre la última palabra. Los refugiados caminaban por la orilla de la carretera, sobre un suelo fangoso de nieve vieja y una altura de lodo que a veces les alcanzaba las rodillas. Era de noche, atrás y hacia delante, afuera y adentro, parecía que la noche, en un descuido, en una crecida, podía brincarse los bordes de mañana. La sensación de estar a salvo en otro país, lejos del brazo vengativo de Franco, se desvanecía en medio de esa masa de refugiados que eran tratados como prisioneros de guerra. Nadie sabía adónde los llevaban y después de una hora de caminar, cansados y hartos de lodo, habían tenido tiempo suficiente para concebir todo tipo de conjeturas. Un viejo metió la pierna en un hueco que estaba disimulado por el lodo y cayó al suelo. El incidente provocó que los hombres que caminaban a su alrededor se detuvieran y procuraran auxiliarlo. El guardia que pastoreaba esa zona se metió hasta el lugar donde yacía el viejo y lo levantó de un brazo al tiempo que gritaba y hacía una señal para que todos siguieran caminando. Varios se quedaron ahí, sin moverse, tratando de averiguar si el viejo podía seguir, nada más mientras el guardia comenzaba a gritarles y a azuzarlos con la culata de su rifle. En lo que se reincorporaban a la fila alcanzaron a ver cómo el guardia obligaba al viejo a que avanzara, pero éste no podía dar un paso, se cogía la pierna, estaba visiblemente lastimado. El guardia lo empujó dos veces sin resultados y la tercera fue un golpe de culata en la espalda que lo derribó al suelo. Todo sucedió en unos instantes, dos de los que se iban reincorporando a la fila brincaron para defender al viejo, pero fueron atajados por una tercia de guardias móviles que los regresaron, a punta de rifle, a su lugar en la fila. El viejo se quedó, tirado en el lodazal, ya no vieron si alguien se hizo cargo de él ni si tuvo fuerza para levantarse. Catorce kilómetros después llegaron a Banyuls-sur-Mer, Arcadi recuerda con asombro la luz que había en el pueblo, en los faroles, en las tiendas y en las ventanas de las casas, esa luz era señal de que por ahí no había pasado la guerra. También se asombró con el surtido de las *épiceries, montañas de quesos, plátanos, jamones y cuanta cosa no vista durante tantos meses*. Todavía no terminaban de asombrarse cuando los guardias ya los iban pastoreando fuera del pueblo. Una gorda se acercó a la fila y escupió mientras una tercia de viejos les gritaba toda clase de insultos. Arcadi vio un edificio blanco de dos plantas con las ventanas iluminadas y un letrero brillante que decía Hôtel de la Plage, esa visión de sueño, plagada de habitaciones inalcanzables, le dejó una chispa en el ánimo. Pasó una ráfaga sacudiendo el grupo de palmeras que había frente al hotel, era el anuncio del diluvio que iba a caerles encima, intermitentemente, durante los quince kilómetros que les faltaban, caminaban por la orilla de la carretera y el mar se adivinaba y con frecuencia se oía golpeando el costado derecho del mundo. De vez en cuando los adelantaba un vehículo, aparecía a lo lejos como un resplandor que se aproximaba y en unos segundos pasaba de largo, dejaba tras de sí un vacío angustioso que se iba haciendo grande, enorme, hasta que a las luces rojas de los cuartos traseros se las tragaba la oscuridad. Lo mismo sucedía con el ruido del motor, que se alejaba hasta que la multitud de pasos chapoteando en el barrizal lo apagaba del todo. Llegaron a Argelès-sur-Mer, otro pueblo de luz donde no había un alma despierta. Caminaron a lo largo de una calle fantasma, luego se desviaron hacia una playa donde el contingente por fin se detuvo. Había dejado de llover y del cielo lavado brotaba una noche de estrellas. El contingente comenzó a deshacerse y a integrarse con los otros miles de refugiados que ya estaban ahí. La arena era una superficie pantanosa azotada todo el tiempo por ráfagas polares. Los guardias móviles desaparecieron. Buscando un lugar para echarse a dormir, Arcadi se topó con una alambrada que confirmó sus sospechas: no se encierra a quien se ofrece refugio, sino a quien se considera prisionero. No sé qué percepción del porvenir tendría mi abuelo esa madrugada del 6 de febrero de 1939, pero desde luego no sospechaba que iba a permanecer ahí los próximos diecisiete meses. Un par de preguntas bastaron para enterarse de que en esa playa no había ni tiendas, ni barracones, ni techo alguno. Exhausto como estaba se echó a dormir, ovillado como perro, encima de unos cartones. No faltaba mucho para el amanecer.

La Portuguesa

Cuando Arcadi puso el punto final a sus memorias se encontró ante la necesidad imperiosa de salir a Galatea y ver de qué manera se ganaba la vida. Antes que nada envió un telegrama a Barcelona, el último que firmó como Suzanne Barrières, donde le avisaba en clave a su mujer que había llegado a México, que estaba a salvo y que fuera buscando la forma de reunirse con él. El asunto no era fácil, la Segunda Guerra Mundial complicaba los viajes entre Europa y América y, por otra parte, mi abuela no tenía dónde conseguir dinero para los pasajes. Además el ambiente represivo y lleno de restricciones de la posguerra dificultaba la obtención de un documento que les permitiera abandonar España.

El primer trabajo que encontró Arcadi fue de ayudante de zapatero en un taller que era un bohío rebosante de plantas y de pájaros enjaulados. Una rareza esa costumbre de tener cautivas en casa a esas mismas criaturas que afuera viven en libertad. Las herramientas y los zapatos que esperaban su turno para ser reparados colgaban en ganchos, como jamones, de los carrizos que sostenían el techo de palma. La mesa de trabajo era un tablón de madera que daba a la calle y que guardaba todavía rastros del color azul que alguna vez había lucido. Toda la faena se hacía del lado exterior del tablón, debajo de un árbol de mango que ofrecía una sombra más fresca que la penumbra caldeada y polvosa que reinaba dentro del bohío. El taller estaba en la avenida Negro Yanga, que era en realidad un terregal largo con casas en la orilla por donde circulaban vehículos de vez en cuando y animales todo el tiempo: gallos, perros, vacas, totoles, toches, tejones, tlacuaches y tepezcuintles. Toda esa fauna que trasegaba y triscaba y que a veces sesteaba a mitad de la avenida corría despavorida cuando aparecía un tigrillo, o cualquiera de las seis especies de víboras mortales que sembraban el pánico entre el resto de los seres vivos que habitaban Galatea: la coralillo, la cascabel, la mazacuata, la cuatro narices, la ilamacoa y la palanca. Cada vez que cualquiera de ellas cruzaba relampagueando el terregal de la avenida, gallinas, totoles y pijules huían envueltos en una escandalera más vistosa que eficaz, con lujo de graznidos fragorosos, polvareda espesa y plumas al viento. El trabajo de Arcadi consistía en sentarse en una silla junto al maestro e irle pasando clavos, brocha con cola, una charrasca, medio vaso de ron, lo que fuera necesitando para reparar el zapato que reconstruía, con una lentitud incosteable, sobre sus piernas. De la visita del licenciado Penagos, que llegó con un par de mocasines urgidos de mediasuelas bajo el brazo, salió el siguiente empleo de Arcadi. Supongo que ese joven catalán, lechoso y desterrado en ese pueblo de jarochos hijos del sol, movía a la compasión o, cuando menos, resaltaba violentamente. De buenas a primeras, en lo que el viejo rebuscaba entre sus cosas un papel donde pudiera escribirse un recibo, el licenciado Penagos citó a mi abuelo en su bufete, esa misma tarde. Una semana después ya lo había sacado del bohío y, aprovechando su caligrafía de trazo europeo, cosa nada común en aquella jungla, lo había puesto a redactar cartas y documentos, pagándole cuatro veces lo que le daba el zapatero. El bufete era una casa en forma, situada en la calle Héroes de Altotonga, una de las arterias principales de Galatea, que contaba con acera, media docena de faroles y grava apisonada sobre la tierra. El licenciado Penagos estaba asociado con sus dos hermanos, que también eran abogados pero de línea un poco más bárbara: llevaban sombrero, revólver y ceño arrugado y cuando ganaban un caso lo celebraban con vasos de ron y poderosas vociferaciones. Aquellos festejos exagerados de ninguna manera correspondían a la modestia de sus victorias legales, daba la impresión de que entre el juzgado y el bufete se daban tiempo para robar ganado o para asaltar un tren. En todo caso los tres distaban mucho de parecerse al modelo de abogado en que Arcadi había querido convertirse antes de que la guerra cambiara el rumbo de su vida. Su sueldo de escribano le alcanzaba para rentar una casita, amplia y desvencijada pero con paredes y techo de hormigón, situada entre el mercado y la estación de bomberos. Un día, mientras bebía un menjul en los portales de la Plaza de Armas y cavilaba sobre algún procedimiento turbio de los hermanos Penagos vio, a unas cuantas mesas de distancia, un hombre que le daba la espalda y movía los brazos y la cabeza de una forma que lo hizo interrumpir sus pensamientos y el trago que estaba a punto de darle a su bebida. En la mesa de aquel hombre había otros tres que también conversaban animadamente, y todavía con el trago suspendido y el vaso en la mano, Arcadi pudo escuchar, a pesar del griterío que había a esa hora en los portales, que aquella conversación era en catalán. Dejó el vaso en la mesa, y antes de que pudiera salir de su asombro, del asombro que le producía oír su lengua en aquel rincón del mundo, reparó en la carcajada del hombre que le daba la espalda y reconoció, por la risa, los manoteos y el tamaño del cuerpo, a su amigo Bages, a quien no veía propiamente desde que se habían separado en la frontera francesa. *Era tan improbable aquello, y me pareció tan terrible y tan doloroso estarme equivocando, confundirlo, entusiasmarme y que al final no fuera Bages, que me quedé de piedra, inmóvil, esperando a que aquel hombre mandara una señal más clara, pero un minuto después ya había corrido a plantarme enfrente de él,* dice Arcadi en las cintas de La Portuguesa. Bages interrumpió lo que estaba diciendo en cuanto vio a su amigo, se quedó pasmado y dijo, ante el desconcierto de sus contertulios, «es imposible que seas tú»; luego se levantó y le dio un abrazo enorme, largo, el preámbulo de una sociedad que duraría el resto de sus vidas. Con Bages bebían menjul otros tres catalanes que habían perdido la guerra, cada uno había llegado por su parte y se habían ido encontrando, un caso no tan raro si se piensa que todos, con la excepción de Arcadi, habían entrado al país por Veracruz y se habían quedado en lugar de ir a probar suerte a la Ciudad de México. Puig era de Palamós, miope con calvicie prematura, escandalosamente flaco y rozaba los dos metros de altura, la antítesis de González, que era gordo y usaba ropa demasiado ajustada, tenía barba roja, fumaba compulsivamente y era el único de los cinco que había emigrado directamente a México sin pasar por un campo de prisioneros. El tercero era Fontanet, un gironés bajito y rubio, parecido, según las fotos que he visto, a James Stewart, era el único soltero del grupo y así permanecería, acompañado siempre por una legión de amantes indias, hasta el trágico final de su vida. Cinco catalanes reunidos en el culo vegetal del mundo, más tres menjules por cabeza, fueron acontecimiento suficiente para replantear sus expectativas y empezar a acariciar un proyecto colectivo.

Mi madre y mi abuela zarparon de Vigo, a bordo de *El Marqués de Comillas,* el 3 de julio de 1943. El viaje en tren de Barcelona a Vigo fue largo pero con distracciones, podían charlar con la gente y mirar por la ventanilla, nada que ver con el trayecto en barco donde a mi madre le brotó una tos ferina que el médico de a bordo, luego de una inspección superficial, diagnosticó como suficientemente contagiosa para hacer el viaje en el camarote de infecciosos, un espacio oscuro de pared cóncava que dejaba pasar los ruidos del mar. Quince días más tarde el barco atracó en La Habana, Laia y mi abuela pasaron las cuarenta y ocho horas de escala confinadas en el camarote cóncavo, que en esas latitudes era un horno. Luego siguieron hasta el puerto de Veracruz, donde las esperaba Arcadi, nervioso de encontrarse con ellas cuatro años, una guerra y un mar después. Mi abuela iba temiendo lo peor del reencuentro, nadie sale ileso después de tantos meses en un campo de prisioneros, el daño infligido por el hambre y el maltrato físico deja, inevitablemente, secuelas. Cuando bajaba por la escalerilla rumbo a tierra firme se sintió aliviada, desde arriba vio a Arcadi saludándolas con la mano, parecía normal, es decir, parecía el mismo hombre que había dejado de ver cuatro años antes. Mi abuela puso los pies en México con Laia cogida de la mano y lo primero que hizo al estar frente a su esposo fue decirle a su hija: Mira, él es tu padre. Esas cosas que se dicen cuando nada que se diga puede estar a la altura del momento. Laia, por si el momento fuera poco, agregó una tensión inesperada, dijo, sin soltar la mano de su madre: aquest no és el meu pare. Arcadi perdió el color, y mi abuela el habla, durante los instantes que tardó la niña en meter la mano en la bolsa de su madre y sacar la cartera donde venía una fotografía de Arcadi vestido de militar y decir, poniendo su dedo mínimo encima de la foto: aquest és el meu pare.

Hace unos años estábamos Laia y yo fumando y bebiendo ginebra en el bar de un hotel del centro de Veracruz, matábamos el tiempo en lo que llegaba la hora de la comida. El humo del puro lo asocio siempre con mi madre y con mi infancia en La Portuguesa, cada vez que expulso una bocanada lo hago sin mucho énfasis para quedarme encerrado, protegido por ese velo que para mí tiene algo de placenta. En la casa había siempre cajas de puros abiertas y un refrigerador con reservas que llegaban mensualmente de San Andrés Tuxtla. Todos fumaban en esa casa y también en las casas de los socios de Arcadi. Hombres, mujeres y niños, en cuanto se encendía la luz eléctrica, nos defendíamos a fuerza de humo de los escuadrones de insectos que volaban, brincaban, corrían o se arrastraban. Aquel bar está en la parte alta del edificio y desde sus butacas puede verse un área de la ciudad y al fondo el puerto y el mar. Le estaba diciendo algo a mi madre cuando percibí que en el ventanal acababa ella de descubrir algo importante. Estuve aquí de niña, dijo, eso fue todo, una imagen, un retazo de su vida infantil que le arrancó una sonrisa que fue un segundo cargado de melancolía y después chupó su puro, echó al aire esa placenta que se confundió con la mía y, mirándome con esos ojos que son de un azul idéntico a los de Arcadi, me preguntó: ¿qué me estabas diciendo? Un año después me envió una fotografía de una niña que aparecía de espaldas asomándose por un balcón. Quien disparó la cámara, probablemente Arcadi, la sorprendió contemplando desde esa altura el puerto de Veracruz. Llevaba un vestido claro, zapatos oscuros y el pelo amarrado en dos trenzas. Era tan pequeña que no llegaba a la barandilla, miraba el mar cogida de los dos barrotes por donde metía la cabeza. Cuando me fijé en lo que la niña estaba viendo me quedé asombrado, la foto estaba tomada en el mismo sitio que hoy ocupa el bar donde fumábamos y bebíamos ginebra. En la parte de atrás de la foto dice, con una tinta antigua, borrosa y azul: «Veracruz,

1943». Abajo, en una línea escrita con la caligrafía reciente de Laia, dice: Te lo dije. Petons. Mamá.

Arcadi fue ganando terreno en el bufete de abogados. Año y medio más tarde ya tenía escritorio propio
y secretaria. Además de la redacción de todos los documentos legales, ayudaba en distintos niveles a conseguir
esas victorias que generaban tragos de ron y bullanga es-
trepitosa. Su ayuda iba desde la consecución de una pieza,
evidencia fundamental para equis caso, en los desfiladeros
de la barranca de Metlac, hasta la aplicación del sentido
común en tal o cual inciso de un contrato. Esa multipli-
cidad laboral producía comisiones que fue juntando para
echar a andar, junto con los otros cuatro catalanes que habían proyectado sus vidas desde las alturas del menjul, una
plantación de café. El proyecto era una simpleza, consiguieron un terreno a unos cuantos kilómetros de Galatea y
durante los fines de semana de varios meses, con la ayuda
de media docena de nativos, sembraron una hectárea de
cafetos y chapearon cien metros cuadrados de selva, donde establecieron un solar para desecar los granos, y levantaron un tejaván para instalar dentro un trapiche. Para ese
quinteto de republicanos un negocio propio era la única
forma de salir adelante, la condición de exiliados que tanto
favorecía a algunos escritores e intelectuales era una des-
ventaja insalvable para esos ex combatientes sin gremio
ni prestigio, que batallaban todos los días para quitarse de
encima el fantasma de Hernán Cortés, y de sus conquista-
dores despiadados, que la gente simple de Galatea identi-
ficaba en ellos.
Cinco años más tarde el proyecto de la plantación
era un negocio próspero que le permitió a cada uno cons-

truir una casa para trasladarse ahí, a la orilla del cafetal, con su familia. Ese grupo de casas, junto con los bohíos que ya estaban ahí salpicados por la selva, fueron quedándose con el nombre de un establecimiento que estaba situado al principio del camino, ochocientos metros abajo, rumbo a Galatea. Un jacalón de tabla burda y techo de palma, amueblado con sillas y mesas de metal, en cuya puerta se anunciaba: La Portuguesa. Cantina y salón de juego.

Cuando éramos niños Joan y yo sabíamos que Arcadi había sido artillero y que mamá había nacido en Barcelona en medio de la guerra. Eso era todo. En la casa de La Portuguesa nunca se hablaba ni de la guerra ni de España, o más bien, no se hablaba como se debía de ese país donde había algo que era nuestro ni de esa guerra que había hecho pedazos la vida de la familia. Joan y yo éramos mexicanos y punto, habíamos nacido ahí, en la plantación de café, nunca fuimos ni al colegio Madrid, ni al Luis Vives, ni al Orfeó Català, ni a ninguna de las instituciones que frecuentaban los hijos y los nietos de los republicanos. Tampoco teníamos relación ni con los gachupines, ni con los españoletes, esos tataranietos de españoles, descendientes de varias generaciones de mexicanos, que siguen ceceando como si hubieran nacido en Madrid y acabaran de aterrizar por primera vez en la Nueva España. Los habitantes de La Portuguesa no eran muchos y además eran todos adultos, sus hijos habían emigrado a Puebla, a Monterrey o a la Ciudad de México y allá habían nacido sus nietos. Vivíamos una vida mexicana y sin embargo hablábamos en catalán y comíamos fuet, butifarra, mongetes y panellets, y los 15 de septiembre, el día de la independencia, permanecíamos encerrados en casa porque los mexicanos de Galatea y sus alrededores tenían la costumbre de celebrar esa fiesta moliendo a palos a los españoles.

Los domingos por la tarde Arcadi sacaba de su armario un aparato de metal negro y proyectaba, sobre la pared verdosa del salón, una serie de diapositivas que recorría las Ramblas, de la fuente de Canaletas a la estatua de Colón. La mayor parte de esas sesiones transcurría en silencio, aunque a veces, cuando Arcadi estaba de vena, comentaba algo sobre alguna fotografía y, en ocasiones excepcionales, sacaba una de su lugar para mostrarnos un detalle directamente en el negativo. Esa maniobra nos dejaba maravillados porque la efectuaba con su prótesis, ayudándose con el canto del garfio revisaba el orden de las fotografías y una vez que daba con la imagen que andaba buscando la sacaba de su casilla, la analizaba a trasluz y la ponía frente a nuestros ojos, sujetándola con su garfio reluciente. Arcadi había perdido el brazo izquierdo en un accidente con una máquina despulpadora de café, se había hecho un tajo profundo que por falta de atención se le había infectado y al cabo de tres días la infección se había convertido en gangrena gaseosa, ésta era la historia que siempre nos habían contado. El paseo de diapositivas por la Rambla terminaba siempre de la misma forma, arrasado por las fuerzas de la naturaleza. El zumbido permanente del sistema de ventilación del aparato, que era similar al que producen los élitros de un grillo macho, iba seduciendo, gradualmente, a las chicharras que cantaban en la selva, afuera de la casa. Una a una iban entrando por la ventana y, rendidas de amor por la tonada del macho, se iban posando primero encima del proyector y luego, cuando ya no cabían, en cualquier superficie cercana que estuviera libre: en la mesa de centro, en un florero, en los descansabrazos del sofá y finalmente encima de nosotros. El paseo dominical terminaba invariablemente antes de llegar a la estatua de

Colón, era un paseo incompleto cuyo final consistía en Arcadi apagando furibundo el proyector y espantándose con el garfio media docena de chicharras que insistían en posarse sobre su cabeza. A mí me tocaba espantarle las chicharras a Joan, que se quedaba dormido desde la fuente de Canaletas y despertaba, sobresaltado y negro de insectos, a la hora de los aspavientos de Arcadi. En cuanto se apagaba el proyector, como por arte de magia, las chicharras regresaban a la selva.

El televisor era un aparato mágico del que podíamos disfrutar exclusivamente a cierta hora y rigurosamente supervisados por alguna de las criadas. Como ese aparato era un ejemplar único en los alrededores, cada vez que algo aparecía en la pantalla brotaba en la ventana, de manera automática, un montón de cabezas que crecía o decrecía según la temporada y que, de un día para otro, había sido reforzado por la cabezota de un elefante que vivía por ahí y que intentaba, sin ninguna probabilidad de éxito, confundirse con el resto de las cabezas. Ese montón de niños le daba estatus de bien común al televisor de Arcadi, pero también interrumpía la corriente de aire fresco que nos hubiera permitido mirar la televisión sin sudar a chorros, y además reforzaba nuestras diferencias con los habitantes tradicionales de la selva. La Portuguesa era una comunidad de blancos rodeada de nativos por los cuatro costados, el típico esquema social latinoamericano donde blancos y morenos conviven en santa paz, siempre y cuando los morenos entiendan que los blancos mandan y que, de vez en vez, lo manifiesten, para que los blancos no se inquieten, para que no empiecen a pensar que la cosa se está poniendo del cocol, que los criados empiezan a trepárseles por las barbas, ¡pinches indios!, les da uno la mano y luego te agarran el pie. Ese estilo convivencial vigente desde el año 1521 que se sigue aplicando en México en todos los rincones de la cotidianidad, en la calle, en una tienda, adentro de la casa con las criadas y el chófer. Ahí estábamos mi hermano y yo, el par de blancos, mirando cómodamente el televisor desde nuestro sillón verdoso, a tres metros escasos de esos nativos que se apelotonaban en la ventana, éramos el ejemplo vivo de ese encuentro entre dos mundos que lleva siglos sin poder consolidarse.

Cada desplazamiento por la casa entrañaba toparse con un espécimen que hubiera puesto a brincar de gusto a un entomólogo. Las marimbolas planeaban por los pasillos, dueñas de un vuelo gordo y antiguo, de biplano, disputándose el espacio aéreo con avispas zapateras, cigarrones, zancudos, amoyotes y azayacates, estos tres últimos eran igual de solitarios que la marimbola pero mucho más veloces, se desplazaban con la rapidez del chaquiste, que a diferencia de éstos aparecía en nubes de medio centenar de individuos tan pequeños que podían introducirse por la urdimbre de la ropa y sacarle ronchas en todo el cuerpo a una persona que anduviera vestida de pies a cabeza. Joan y yo vivíamos permanentemente picoteados por las tres variedades de mosco; cada noche, antes de dormirnos, Laia y mi abuela nos frotaban el cuerpo con un menjunje pestilente. En la tarde, cuando empezaba a irse el sol, se sumaban al espacio aéreo de la casa los bichos voladores que se sentían atraídos por la luz eléctrica, a esa hora se encendían los puros, cada habitante de la casa comenzaba a defenderse de los bichos a fuerza de andar envuelto en un nubarrón. También había unas mariposas negras enormes que se confundían con la rugosidad de un mueble o con una mancha de humedad en el tapiz, hasta que alguien les pasaba demasiado cerca y las asustaba y las hacía echarse a volar, contrariadas y con el sentido de la orientación perdido, dejando polvaredas negras cada vez que golpeaban con las alas aquello que interfería con su carta de navegación. También volaban alrededor de la luz eléctrica polillas, mayates, cigarrones, catarinas y campamochas, y ocasionalmente, dependiendo de la densidad de las evaporaciones de la selva, cocuyos, unicornios y chicharras, aunque estas últimas, como ya se dijo, preferían la seducción del proyector de filminas. Los unicornios eran unos escarabajos negros, torpes y escandalosos, tres veces más grandes que un mayate, que más que volar rebotaban de una superficie a otra, tenían un cuerno en el centro de la frente, o en donde según las coordenadas de un mamífero debiera estar la frente, seis patas peludas y una baba que te arruinaba la ropa cada vez que te caía encima.

El piso era otro capítulo por donde cruzaban cucarachas, cuatapalcates, atepocates y lagartijas cuijas. Según el clima se agregaban otras especies, las noches de lluvia entraban sapos barítonos y ranas rabonas, las noches secas aparecían escorpiones negros y una criatura monstruosa, de la talla de un higo, conocida como cara de niño. Este monstruo caminaba con la parsimonia de quien sabe que apachurrarlo es un lujo prohibitivo, pues el estallamiento de sus vísceras dejaba una mancha indeleble en el parquet. La cara de este bicho era una pesadilla, un gajo ambarino y translúcido con dos puntos negros que eran sus ojillos. Algunas noches nos despertaban sus pasos sobre la madera del pasillo y gritábamos desesperados cuando, en medio de la oscuridad, lo oíamos entrar en nuestra habitación.

Los cojines en ese trópico tomado por los insectos tenían el mismo grado que el sombrero de los magos, bas-

taba levantarlos para que saliera de abajo un grillo, un pi-
nacate o una araña capulina. Una vez, debajo de la al-
mohada de Laia, apareció una mano de cangrejo moro que
había transportado desde la cocina una turba de hormigas chicatanas.

Arcadi guardaba sus prótesis en un apartado de
su ropero y nosotros las mirábamos detenidamente cada
vez que había oportunidad. Tenía tres brazos postizos, uno
parecía más falso que otro y el tercero era un garfio metálico que usaba para trabajar, los otros dos eran más bien de
ornato, la mano de caucho no servía para agarrar cosas a
diferencia del garfio que manejaba con soltura y pericia,
era capaz de coger con sus dos pinzas una tarjeta o un grano
de café. Aunque era muy pudoroso con sus brazos postizos,
como era en realidad con todo, con frecuencia presenciá-
bamos, seguramente porque los niños suelen colarse por
todos lados, la faena de mi abuela poniéndole alguno de
sus brazos. La veíamos aplicando una nube de talco en el
cuenco de la prótesis y otra nube en el muñón, en su ex-
tremidad trunca que terminaba en una pieza que parecía
rodilla, luego clavaba el cuenco en esa pieza e inmediatamente después, sin dar tiempo a que se aflojara, le ajustaba
y amarraba dos tripas de cuero por la espalda. Luego Arcadi se cubría todo ese aparato con la camisa y mi abuela
reponía las bolsitas de veneno, que metía en los cuencos
y en las bisagras de las otras prótesis, para evitar que se
alojara ahí algún bicho. Arcadi se ponía su mejor brazo,
el que más real parecía, cuando llegaba alguien a visitarlo,
alguien de fuera de La Portuguesa, porque sus socios y los
que vivíamos ahí no reparábamos mucho en qué brazo
traía, ni tampoco era raro si no traía ninguno, la gente se

acostumbra a esas cosas y más nosotros que nunca lo conocimos completo, quiero decir con brazo.

Lauro era hijo de la criada. La criada tenía la edad de mi madre y sus historias son un círculo perverso. Cuando mi madre tenía doce años iba al mercado acompañada de Teodora, la criada, cuya misión era cargarle las canastas. Esta escena, que tiene escasos cincuenta años de antigüedad, parece extraída de la época de la colonia: la india cargada de bultos detrás de la rubia que carga su cartera por las calles de Galatea.

Teodora creció junto a Laia, durante años jugaron, conversaron y compartieron un grado importante de intimidad, fueron incluso cómplices en ciertas encrucijadas vitales, sin perder nunca, ni por un instante, de vista la posición social que cada una había heredado y que podría resumirse en esta idea aparentemente simple: una estaba para servir a la otra.

Laia era hija de los patrones y Teodora era hija de una sirvienta. El grado de intimidad entre ellas comenzó a disminuir cuando Laia entró al bachillerato y luego prácticamente desapareció cuando empezó a estudiar en la universidad. Teodora, bajita y muy morena, seguía lavando platos y fregando el piso en la misma casa de la selva mientras mi madre, muy alta y con una melena rubia que le llegaba a la cintura, desenmarañaba la fórmula del bismuto y del estroncio en la Facultad de Química de la UNAM.

Laia regresó a La Portuguesa graduada con honores. Hubo una fiesta para celebrar su triunfo académico y para anunciar que en poco tiempo iba a casarse con mi padre. Teodora, que sirvió los canapés y fregó los platos de aquella fiesta, iba a casarse por las mismas fechas con Pedro, un muchacho mísero de la periferia de Galatea que en un abrir y cerrar de ojos pasó de chófer de taxi a alcohólico profundo. Teodora quedó embarazada en ese abrir y cerrar de ojos.

Mi madre se casó con mi padre, un abogado de buena familia, es decir, una familia mexicana donde no había indios. Nunca en mi vida he tocado ni a un indio ni a un negro, decía el padre de mi padre, que era un viejo rico descendiente de españoles que poseía una plantación de caña en San Julián de los Aerolitos, una protuberancia selvática, salpicada de pedruscos enormes, que estaba entre Galatea y Tritón, en plena jungla veracruzana. Su aversión por lo moreno lo hacía sacarle la vuelta al café, al frijol negro, al huitlacoche, al chicozapote prieto y a la Coca-Cola, bebía whisky para no caer en la tentación del cuba-libre, que además de oscuro le parecía que era bebida de gente rascuache.

Lauro nació tres años antes de que mi madre se decidiera a tener hijos. Mis abuelos, en un gesto que no por típicamente latinoamericano deja de ser confuso, sutilmente siniestro, le permitieron a Teodora que siguiera sirviéndolos y con el tiempo reclutaron a su criatura para que también los sirviera. El círculo perverso no tardó en cerrarse: Lauro se convirtió en el mozo de la casa, su trabajo era servirnos y entre sus obligaciones estaba cargarnos las canastas cuando íbamos al mercado.

Arcadi detectó que el esquema se repetía y tomó cartas en el asunto, inscribió a Lauro en la misma escuela donde íbamos nosotros, un instituto que regenteaban los hermanos Ávila, un trío de refugiados que lo había perdido todo durante la guerra en Valencia. La iniciativa de mi abuelo incluía comprarle ropa, darle obsequios en Navidad, sentarlo a la mesa con todos, en fin, tratarlo como a uno más de la familia. Todo esto venía reforzado por la decisión de mi padre de cooperar en el proyecto de sacar a Lauro y a sus descendientes de ese círculo que parecía una maldición. Para ello mi padre incluía a Lauro en todas nuestras actividades, cine, béisbol, días de campo y días de pesca.

Cuando estábamos en edad de estudiar la secundaria mi padre trasladó su bufete a la Ciudad de México. Lauro prefirió permanecer en La Portuguesa con mis abuelos, estudiar en Galatea todos los grados que le faltaban para ingresar a la universidad y conservar su posición de mozo en la casa. Se sentía responsable de su madre, que, para esas alturas, ya había sido abandonada por Pedro, que llevaba años desaparecido, cautivo en una borrachera de profundidades insondables, de la que emergía periódicamente para pedir recursos, unas monedas para pagarse el regreso a su limbo alcohólico. Cuando llegó el momento Lauro fue inscrito en la universidad, que estaba en la Ciudad de México. Entre La Portuguesa y la ciudad median, hasta hoy, trescientos cincuenta kilómetros de distancia, dos mil metros de altura sobre el nivel del mar, un diferencial de quince grados centígrados en la temperatura ambiente, y un siglo de atraso en casi todos los incisos de la cotidianidad. El brinco de Lauro de una escuela a otra era también un brinco a la modernidad, desde el mundo premoderno. Por ejemplo, Lauro nunca había visto un edificio de más de dos plantas ni, por supuesto, se había metido nunca en un ascensor. Mi padre retomó el esfuerzo de sacarlo de ese círculo que parecía una maldición, lo instaló en nuestra casa, lo sentó a la mesa, le proporcionó el instrumental necesario para que pudiera dar el brinco. Lauro respondió positivamente los primeros meses, todas las mañanas se iba con nosotros a la universidad y los fines de semana compartíamos el mismo grupo de amigos. Un día, sin motivo aparente, comenzó a sentirse deprimido. No teníamos elementos para entenderlo entonces, pero la fuerza centrípeta de aquel círculo comenzaba a jalarlo, a reclamarlo. Poco a poco empezó a alejarse de nosotros y a faltar a sus clases. Una vecina nos dijo que Lauro se pasaba el día completo sentado en una banca del parque de Pensilvania, que estaba a unas cuantas calles. Tres meses después de su primer día de depresión anunció, durante la cena, que no se hallaba, que la tristeza lo carcomía y que regresaría al día siguiente, en el primer autobús, a La Portuguesa. Los argumentos para convencerlo de que se quedara fueron inútiles, al día siguiente cogió sus cosas y se fue, de regreso a la selva y a la premodernidad. Quizá pasamos por alto que nuestras historias personales eran inconciliables, que en el mundo de los mexicanos blancos ser indio e hijo de una sirvienta es una maldición muy difícil de remontar y que con frecuencia es menos doloroso asumir ese amargo pedigrí, que andar arrastrando de por vida el refrán: el indio, aunque se vista de seda, indio se queda.

Lauro regresó a La Portuguesa. Aprovechando la inercia que le habían dejado sus meses de universitario, Arcadi lo inscribió en la escuela de técnicos electricistas: seguía empeñado en cerrarle el paso al destino. El curso que duraba seis meses fue terminado en año y medio por un Lauro estrangulado entre el empecinamiento de Arcadi, a quien por cierto le decía padrino, y su propensión a pasmarse cada vez que lo embestía su propia información genética. La noche de su graduación de técnico electricista se organizó una reunión muy pequeña en la que estuvieron mis abuelos, mi padre (que estaba casualmente ahí diagnosticando un entuerto legal de su bufete), Teodora (que fungía alternativamente como invitada y como la sirvienta que servía los canapés), Lauro y su novia. Mi padre y mis abuelos veían con buenos ojos a Elvira, la novia, que era hija de una enfermera y venía de una familia no tan dada al cuás como la de Teodora. En un abrir y cerrar de ojos, que parecía una réplica histórica del anterior, Elvira quedó embarazada. Lauro se casó con ella (en otra reunión discreta donde Teodora también sirvió los canapés) y se la llevó a vivir, previo consenso, a casa de mis abuelos. Arcadi, inquieto porque su inversión no había producido ni un retoño, le consiguió algunos trabajitos, descomposturas eléctricas menores en casas de sus amigos, con la esperanza de que Lauro formara una clientela que le permitiera ir dejando paulatinamente su trabajo de mozo de la casa. Lauro conservó su clientela durante algunos meses, pero no pudo hacerla crecer como mi abuelo hubiera deseado, es más, siendo rigurosos, si graficáramos el número de clientes contra el tiempo que tardó en perderlos, el resultado sería una pendiente por donde su clientela se desbarrancó de manera, por decirlo así, desenfrenada. Lauro era un técnico electricista limitado que a veces, en el intento de reparar un cortocircuito parcial, acababa fundiendo la instalación eléctrica de toda la casa. Mi abuelo remendaba esos estropicios pagándole a su amigo agraviado los servicios de otro técnico electricista. Esta ficción duró poco, pero lo suficiente para que Lauro se enterara y pactara con el otro técnico electricista un porcentaje sobre las reparaciones de lo que él, ya para entonces con toda intención, descomponía. Los clientes se hartaron de la torpeza de Lauro, que mientras tanto, en otro abrir y cerrar de ojos, ya había tenido una hija y había embarazado a Elvira de otra. En una maniobra que carecía de estrategia y del más elemental sentido común, un desplante orgulloso al saberse descubierto en su asunto de los porcentajes, Lauro dejó la casa de mis abuelos para rentarse un bohío en la periferia de Galatea, a unos cuantos metros de donde Pedro, su padre, había fundado su limbo. Teodora, llorosa, secundada por Arcadi, le advirtió de los inconvenientes de vivir tan cerca de ese hombre que había sido su marido. Lauro no hizo caso, pero tampoco su orgullo tuvo tamaño suficiente para abandonar su trabajo de mozo, ni las reparaciones eléctricas, y ya para esas alturas absolutamente ficticias, que seguía efectuando en casa del único cliente que le quedaba, que era Arcadi. Semanalmente se descomponía el tostador o, dicho con más precisión: el tostador era descompuesto por Arcadi, que a la siguiente semana descompondría la clavija de la plancha, y a la siguiente el interruptor de la tele. En cada ocasión brincaba Lauro con su caja de herramientas y, amparado por su título de técnico electricista, hacía como que componía y le cobraba a su padrino un precio estratosférico.

Cuando nació su segunda hija Lauro comenzó a perder el paso, aparecía los martes y desaparecía los jueves y cargaba, de manera permanente, con todas las calidades de quien anda con media estocada. Teodora hablaba con mi abuelo de esa preocupación que le quitaba el sueño. Arcadi trataba de animarla y omitía la información de que Lauro vaciaba sistemáticamente las botellas que había en el comedor, al grado de que mi abuela, para reducir costos, rellenaba los whiskys y los brandis del aguardiente de caña inmundo que vendían a granel en la cantina.

Una noche de sábado Lauro irrumpió en una cena que ofrecían mis abuelos, a propósito de un aniversario de la plantación de café. La puerta del comedor se abrió de golpe y apareció Lauro teatral debajo del marco, estaba flaquísimo, vestía a retazos y se veía transportado por una borrachera hermética. Aunque no se movía, parecía que se lo estaba llevando un vendaval. Con los ojos inyectados y una voz donde campeaban veinte años de rencor y re sentimiento, dijo que estaba cansado de tantas humillaciones y que Arcadi era, como todos los españoles, un explotador hijo de la chingada. Acto seguido se fue al suelo. Todos los comensales, que conocían perfectamente la historia de Lauro, se quedaron de una pieza. Lo mismo le pasó a Teodora, que había sido sorprendida por el numerito de su hijo mientras servía los canapés.

Aquél fue su acto final, nadie de La Portuguesa volvió a verlo. Mi hermano y yo tampoco, lo habíamos visto por última vez aquella noche en que, carcomido por la tristeza, había anunciado su brinco de regreso a la premodernidad.

Hace unos años Teodora me contó el desenlace: Elvira y sus hijas, guiadas por su instinto de conservación y aterrorizadas por la rigurosa dieta de aguardiente que observaba el jefe de la tribu, lo habían echado a la selva. Lauro había recalado, naturalmente, en el bohío de junto donde, sin mayores trámites, se había apuntado al plan de vida de Pedro, su padre. Un día Lauro apareció despanzurrado bajo una mafafa en la barranca de Metlac. La noche anterior, ciego de aguardiente, había cruzado la vía cuando pasaba el tren que venía de Cosolapa.

Mientras Teodora me contaba su tragedia, observé que el círculo que habían detectado mi abuelo y mi padre era, efectivamente, una maldición: las hijas de Lauro entraron a la cocina cargando las canastas de mis sobrinas, las hijas de Joan, que venían de comprar cosas en el mercado de Galatea.

La imagen que viajaba en ondas desde la Ciudad de México llegaba con una debilidad que convertía el acto de mirar la tele en un ejercicio de imaginación. Las caras y los cuerpos aparecían en la pantalla con dos o tres fantasmas y eran barridos, periódicamente, por una borrasca de puntos blancos. Aquel salón tuvo su nivel de audiencia más alto cuando el mago Uri Geller visitó México. Todos sabíamos de sus poderes, la radio y los periódicos no hablaban de otra cosa. El canal 2, por cierto el único que podía verse, anunció la presencia del mago e invitó a los televidentes a colocar sus aparatos descompuestos frente a la pantalla con la idea de que Geller los reparara con sus asombrosos poderes. Aunque la oferta era difícil de creer, los vecinos llegaron esa tarde cargando sus aparatos descompuestos y los depositaron, con un cuidado que rayaba en la devoción, en varias pilas frente al televisor. Nosotros depositamos una batidora, un reloj de pulsera y un reloj despertador. Un close-up de los ojos del mago nos dejó inmóviles y cuando la cámara se alejó, vimos que venía flanqueado por dos o seis asistentes, según la intensidad de los fantasmas que viajaban con la imagen. Geller levantó los brazos, cerró los ojos y lanzó un pase mágico que echó a andar la batidora de mi abuela y que hizo correr rumbo a la selva a la mitad de nuestros invitados.

Dos años después de aquella sesión de magia por televisión, el circo Frank Brown plantó su carpa entre Galatea y La Portuguesa y anunció, como su número estelar, la presencia del mago Uri Geller. A Galatea no llegaban muchos espectáculos y cualquier cosa servía de pretexto para vestirse con ropa elegante y salir de noche. Mi abuela y Laia desempolvaron sus galas y cepillaron sus zapatos de fiesta. El cepillado era imprescindible porque esos zapatos descansaban la mayoría del año en el fondo del ropero y eso hacía que, pese a las precauciones químicas que se tomaban, fueran invadidos por un hongo, en forma de pelusa gris, que los hacía verse como conejitos. El mismo cepillado tenía que aplicarle mi abuela a las prótesis de Arcadi que descansaban en un anaquel del armario y que, a diferencia del garfio, se usaban poco porque eran más bien decorativas, tenían una mano de cera semejante a una mano real pero carecían de articulaciones y esto las volvía imprácticas para la faena diaria en la plantación. Mi madre y mi abuela salieron majestuosas, perfumadas, con sus conejitos perfectamente cepillados, la noche en que el circo Frank Brown ofreció su primera y última función en Galatea. Llegando a la carpa un enano marchito, vestido con un traje ajado que acentuaba su abatimiento, nos condujo hasta nuestros lugares, que eran un tablón en el tercer nivel del graderío cuya dureza traspasaba las nalgas para irse a incrustar directamente a la cabeza del fémur. Luego de mostrarnos el tablón con una sonrisa que parecía un puchero, el enano estiró una manita lánguida para que se le diera una propina. El primer acto fueron los trapecistas, un par de morenos fibrosos, vestidos con un mallón lustroso y carcomido, que saltaban protegidos por una red viejísima en proceso de desintegración. Su acto era un desafío a la lógica: saltar con red o sin ella daba exactamente lo mismo. Luego vino un Tarzán cuyo número consistía en forcejear contra un tigre añoso, que había perdido, en algún circo anterior, las garras, los dientes y en general las ganas de vivir. Después siguió un payaso que nos puso tristes, compartiendo escena con los caballos y los elefantes de costumbre. El acto principal llegó después de un número tortuoso que ejecutó el tragafuego, un hombre largo y bembón que, en lugar de resolver su acto ayudándose con la ilusión óptica, extinguía con su enorme cavidad bucal, a lo bestia y sin truco que mediara, una estopa envuelta en llamas. El público aplaudió a rabiar, no el acto que era pésimo, sino el talante recio de ese domador del fuego. El maestro de ceremonias, que era el famoso locutor de una radiodifusora de Galatea, invitó a los asistentes a que entregaran sus relojes descompuestos a una parvada de edecanes que volaba, con bolsa en mano, por todo el graderío. Mientras la parvada cumplía con su deber, el payaso salvaba el impasse escénico con un número más triste todavía. Los relojes formaron un montón considerable en el centro de una mesa que estaba cubierta con un mantel rojo. Las luces se apagaron y el famoso locutor anunció a la estrella. Un faro seguidor iluminó a Uri Geller, de capa azul, imponente, ovacionado en grande por esa multitud que había visto su acto, periódicamente manchado por la borrasca, dos años atrás en la televisión. El mago hizo primero unos trucos de calistenia mágica, dobló un par de cucharas con la mente, hipnotizó a una de sus edecanes y sacó una moneda de atrás de la oreja de la señora del presidente municipal. Finalmente llegó el momento estelar. Uri observó largamente el montón de relojes. El público que abarrotaba los tablones estaba en suspenso máximo, nadie decía una palabra ni producía ruido alguno. Una vez aquilatado el desafío, el mago de fama internacional ejecutó unos pases mágicos sobre el montón de relojes y levantó los ojos, buscando en los trapecios la inspiración necesaria. En ese instante Heriberto, un paisano que ayudaba a mi abuela a podar el jardín, atravesó la pista y, en una fracción de segundo, aprovechando la sólida concentración del mago, hizo un hatillo con el mantel rojo y huyó con el botín de los relojes de toda la comarca. El mago seguía todavía colgado del trapecio cuando el público, en estampida, salía corriendo para alcanzar al ladrón. Además del público la estampida incluía a algunos animales que aprovechaban el caos para declarar su independencia, entre ellos el elefante que, a partir de entonces, se quedó a vivir en La Portuguesa.

Jovita, la otra criada, tenía un hijo al que le decíamos Jovito, o puede ser que así se llamara. Aquel niño esmirriado, demasiado pequeño para su edad y tristemente feo, lloraba a gritos cada vez que se sentaba a cagar en el retrete. El escándalo se debía a que, por algún desajuste congénito, al primer pujo se le aflojaba la retícula muscular del ano y le afloraba un tallo purpurino (conocido técnicamente como el cono de Yapor) que su madre corría a reacomodarle con dos dedos de vaselina. El procedimiento, con todo y la gritería, era parte del ritmo cotidiano de la casa. A veces el Jovito muy risueño (una risa que dolía porque lo volvía todavía más feo) se prestaba al chacoteo y aceptaba la invitación para cagar en nuestro baño. Mi hermano y yo mirábamos fascinados cómo a medida que le salía la mierda le iba saliendo también, poco a poco, el tallo de esa flor decapitada, que era tan fea y tan enigmática como el niño que la daba a luz. Joan dice, más bien para joderme, que aquellas sesiones frente a los lodos primigenios del Jovito despertaron mi vocación por la investigación antropológica, que aquella arcilla básica me había puesto por primera vez en contacto con los albores de la especie, una idea excéntrica que había olvidado hasta que me salió al paso, años después, en la playa de Argelès-sur-Mer.

A nosotros también nos salían cosas bizarras por el culo. Por más que se desinfectaban los alimentos siempre se iba algún parásito en las lentejas o en un trozo de carne, memorándums que mandaba la selva para recordarnos su vigor. Cíclicamente producíamos salmonelas o solitarias, esta última era más controlable porque se trataba de un solo animal que salía y se echaba a nadar, cuando caía en las aguas del retrete, o a reptar, cuando la deserción de nuestro laberinto intestinal nos pescaba dormidos.

La deserción de las salmonelas era más bochornosa, salían de pronto, súbitamente, un puño terso de la familia de los copos caía en el calzón y se iba deslizando caprichosamente cuerpo arriba o cuerpo abajo. No era raro que en la escuela o a la hora de comer sintiéramos un par de ejemplares explorándonos los alrededores de las tetillas, o al contrario, cuando la masa de parásitos iba cuerpo abajo y se nos iba escurriendo por los pantalones y quedaba en el suelo el saldo de un reguero de culebrillas que era devorado de inmediato por un batallón de hormigas chicatanas. El remedio eran cucharadas de un brebaje que nos parecía peor opción que andar pariendo culebrillas.

Jovito era un niño hecho para la desgracia. Su mala fortuna alcanzaba niveles inconcebibles y él no aplicaba otro antídoto que reírse de ella, con unas carcajadas agudas que no correspondían a la mueca hosca, de malhechor corpulento, que hacía al ejecutarlas, y esta disparidad acababa subrayando su parte trágica, que era francamente toda. Mientras peor le iba con más ganas se reía. En una lista de sucesos penosos yo pondría el tétanos que pescó al arañarse con un alambre de púas (con el que todos nos habíamos arañado, sin consecuencias, al mismo tiempo), el panal de avispas que le cayó encima (justamente a él dentro de un universo de veinte niños que partíamos una piñata, con el colofón trágico de un palazo en la cabeza propinado por el niño que, sin percatarse del avispero, seguía tirando swings con los ojos vendados), y la marimbola que le picó (a saber cómo, porque iba vestido) en el prepucio (otra turgencia descomunal que colgó durante siete días, junto al tallo purpurino, a ras del agua del retrete). Qué cosa, pobre Jovito, una vez lo oímos carcajearse como nunca y corrimos preocupados a ver qué le había pasado. Las risas venían de la selva, por la zona del manglar. Detrás de unos matojos Leopito, Chubeto, Lauro y el Chentilín orinaban adentro de una zanja donde habían echado al Jovito, que, en impecable coherencia con su naturaleza, experimentaba un ataque de risa que ponía los pelos de punta.

A veces acompañábamos a mi abuela al mercado, cuando iba por algo específico que le hacía falta y que no había sido adquirido en la compra general que hacía Teodora. La íbamos siguiendo de un puesto a otro aturdidos por la gritería y por el bombardeo visual y olfativo que abarrotaba los pasillos, cajas de chile seco, montones de frijol negro y bayo, legumbres húmedas, ajos y guajes colgando del techo, mesas de pescados rosados y grises combatiendo con una cama de hielo acuoso el calor del trópico, cabezas, trompas, manos, espaldas y tripas de cerdo nadando en grasa nauseabunda, trozos de vaca cruda que manchaban el suelo con hilillos de sangre, fruta madura y pasada y todo, carnes y legumbres y frutas pudriéndose a causa del calor maligno que ahí corrompe, a una velocidad vertiginosa, cualquier cosa con vida, y nosotros caminando en medio de todo eso, con una altura desventajosa que nos hacía andar con la nariz al nivel de las piernas y los culos y las mesas donde toda esa fauna y flora se pudría, con los zapatos metidos en el fermento lodoso que cubría el piso, con las rodillas salpicadas de colores, amarillo mango, verde tuna, negro zapote prieto, rojo sangre de res. Caminar por los pasillos del mercado de Galatea era un espectáculo altisonante, grosero, bárbaro, pestilente, fétido e inconmensurablemente vivo que al final, luego de haberlo caminado, orillaba a mi abuela a darnos una recompensa, generalmente un muñeco de plástico, El Santo, Blue Demon, El Milmáscaras o un Batman o un Supermán y ocasionalmente, cuando había, un par de pollitos amarillos y vivos que cada uno se llevaba en la mano, con cierta angustia de ir cargando una criatura hirviente que olía a serrín y a avena y a polvo, y a veces de tantos besos a saliva, y con un corazón que hacía tictictic demasiado rápido, prueba irrefutable de que iba a morirse pronto. Llegábamos con los pollos a la casa y ahí les hacíamos una camita y les poníamos agua y maíz y pan húmedo y los protegíamos de la curiosidad del *Gos* y de los pasos despistados del elefante y no sé por qué siempre, o cuando menos así lo recuerdo, los pollos terminaban cayéndose al pozo, brincaban al borde y en lo que corríamos a salvarlos se caían sin remedio, sin que nada pudiera hacerse, los oíamos caer y píar y el tictictic de su corazón subiendo desde el fondo en un eco húmedo y entonces metíamos la cara en la boca del pozo y los veíamos lejísimos en el fondo que nos enviaba un aliento helado y musgoso, y entonces llegaba un adulto y con una cubeta y una cuerda intentaba, siempre sin éxito, rescatar a los pollos, quiero decir rescatarlos vivos, porque invariablemente al final salían mojados y fríos y sin piar ni hacer tictictic. Una vez fue Arcadi quien se ocupó del rescate, andaba por ahí cuando nos oyó gritar que los pollos se habían caído, y salió al patio bastante alterado y, de manera brusca y con una torpeza que logró preocuparnos, tiró la cubeta y la cuerda. Nosotros lo mirábamos con agradecimiento pero también con recelo y desconfianza, algo no estaba bien en su metodología, tenía medio cuerpo metido al pozo y manoteaba demasiado mientras nosotros le decíamos más hacia la pared, o más hacia el centro, y en ésas estábamos cuando vimos que su prótesis se le desprendía del hombro y caía largamente, dando golpes secos contra la piedra, por el vacío del pozo. Los tres nos quedamos mudos contemplando el brazo de Arcadi que flotaba en el agua, lejano, entre los dos pollos.

Laia tenía una fórmula para hacernos comer casi cualquier cosa. Puré de zanahoria, carne con acelgas, mariscos de textura anómala, por ejemplo, un ostión o las zonas blandengues de un pulpejo, cosas que no nos gustaban. Si no te comes eso no podrás ir a Barcelona, nos decía clavándonos su mirada azul y sin sacarse el puro de la esquina de la boca, y después por toda información nos decía que en Barcelona se comía mucho de eso, mucha acelga, mucho pulpejo, lo de menos era qué. Aun cuando no se podía regresar a España, aquella ciudad se nos presentaba como el objeto del deseo, que era semanalmente espoleado con los paseos por las Ramblas que Arcadi proyectaba sobre el tapiz verde del salón, y con menos frecuencia, pero con una intensidad, digamos, anual, con la llamada telefónica que ejecutaba, en presencia de todos, desde el teléfono que estaba atornillado a la pared del desayunador. Marcaba el cero y esperaba, esperábamos, a que la operadora le preguntara la fila de números que se sabía de memoria y que iba diciendo de manera pausada, paladeada incluso, era la única vez en el año que dictaba esa cifra que era, en cierto modo, su cordón umbilical con Barcelona. Luego volvíamos a esperar, a veces mucho, a veces tanto que la operadora le pedía que volviera a paladear la cifra. Finalmente contestaban del otro lado del océano, Alicia o la tía Neus, daba lo mismo, de todas formas, allá en el piso de Viladomat, se arrebataban el teléfono para hablar con su familia de México, a la que no veían desde hacía décadas, desde el final de la guerra. El segundo acto de la llamada navideña, luego del diálogo de Arcadi, que era una mezcla inconcebible de nostalgia y aspereza, era irnos pasando a cada uno el auricular. Todo lo que conocíamos de esas mujeres eran sus voces, a partir de ahí teníamos que hacer el ejercicio de inventarlas. Fotos no había, cada quien, supongo, combate la nostalgia como puede.

En 1970 Arcadi desapareció dos semanas de La Portuguesa. Su desaparición fue una rareza. En los veintitantos años que llevaba funcionando el negocio no se había ausentado más que cuando convalecía del accidente que le costó el brazo y durante un viaje de negocios que había hecho a Europa con Bages y Fontanet. La historia que nos contaron de aquella desaparición fue que había viajado a Holanda para explorar la posibilidad de comprar una máquina despulpadora de café, toda una alternativa y sin duda un paso enorme para el negocio donde el proceso de sacar la pulpa seguía haciéndose con el trapiche tradicional. Pero como solía pasar con las historias en esa casa, la de la máquina despulpadora había servido para ocultar la verdadera historia. Arcadi regresó de aquel supuesto viaje de negocios con un argumento consistente: la máquina holandesa costaba demasiado dinero y además hacía sola el trabajo que ejecutaban diez empleados y echar a tanta gente era un asunto impensable. En La Portuguesa había un equilibrio social precario que no podía alterarse sin enfrentar el riesgo de que las comunidades vecinas se dieran el gustazo, siempre latente, de prenderle fuego a las casas de los catalanes. Algo le pasó a Arcadi en aquel viaje porque a partir de entonces comenzó a convertirse en otra persona, tengo la sensación de que aquello que me dijo en las cintas de La Portuguesa, de que su guerra había sido la guerra de otro, empezó a operar desde que regresó de aquel viaje, aunque en realidad su vida, y la de sus socios, había cambiado dramáticamente después del episodio de los rojos de ultramar. Después de aquel viaje, durante muchas noches, oí cómo Arcadi lloraba en su habitación, con un llanto manso, bajito, atroz.

Argelès-sur-Mer

A Arcadi lo despertó el frío, los cartones sobre los que se había echado habían dejado pasar la humedad de la playa, era noche cerrada pero a lo lejos, en la línea del horizonte, se adivinaba un indicio de luz, un claror, una abertura por donde la oscuridad eventualmente iba a fugarse. Calculó que faltaba más de una hora para el primer rayo de sol y se preguntó de dónde iba a sacar energía y entereza para atravesar esa última parte de la noche, tiritaba, la humedad se le había metido a los huesos y la que quedaba encima de la ropa se había convertido en capa de escarcha. Un vistazo fue suficiente para dictaminar que la situación era grave, todo era noche y cuerpos tirados, no alcanzaba a ver más y tampoco estaba dispuesto a ampliar su ángulo visual, porque cada vez que movía un músculo se desencadenaba una racha tortuosa de escalofríos. A pesar de que no cabía un alma en esa playa, no se oía más ruido que el vaivén del mar. Ovillado encima de los cartones y con la cabeza recostada a la altura de la arena era muy poco lo que podía ver, entre una bota y un torso alcanzaba a divisar, a unos tres metros de distancia, el cuerpo de un hombre que estaba tirado boca abajo sobre la arena, parecía que se había caído y que se había quedado tal cual, con la cara pegada a la arena, durante la noche. Periódicamente soplaba el mistral, lo veía bajar un metro más allá del hombre inmóvil, colisionarse contra la arena, levantarle una cresta y luego irse, a levantar arena entre otros cuerpos, donde fuera posible colarse porque ese ejército tirado en la playa restaba efectividad a los golpes del viento. Arcadi pasó revista de forma obsesiva a las primeras coordenadas de su exilio: su mujer y su hija se habían quedado en Barcelona en un piso lleno de huellas republicanas que podían complicarles las cosas, y él estaba tirado a la intemperie en una playa rodeado por un ejército incalculable de cuerpos. Cerró los ojos y le dio vueltas a estas dos contrariedades hasta que sintió un rayo primerizo que medraba en su cuello y que empezaba a deshacer la escarcha que se iba yendo gota a gota encima del cartón.

Lo primero que hizo al levantarse fue quedarse boquiabierto, la playa de Argelès-sur-Mer era mucho más grande de lo que había calculado y había cuerpos tirados y personas deambulando hasta donde alcanzaba la vista. Caminó entre la gente para darse una idea más precisa de su situación, pensaba que la siguiente noche la pasaría en mejores condiciones, que en algún lugar de esa playa enorme debía haber cabañas o barracas donde se pudiera dormir sin escarcha encima. También iba buscando un puesto de socorro donde pudieran darle una manta, un poco de café y además información que le permitiera trazar un plan, un pronóstico siquiera, de cuántos días iba a tener que soportar esa estancia incómoda. *La población de la playa era un muestrario de las fuerzas de la república, había soldados, carabineros, guardias de asalto, artilleros, mossos d'Esquadra, escoltas presidenciales, marinos, aviadores, cerca de cien mil personas que nos habíamos quedado, de un día para otro, sin país,* dice Arcadi en las cintas de La Portuguesa. Había también, todo esto lo iba viendo él mientras caminaba dentro de esa escena neblinosa de aire onírico, una minoría de mujeres, algunas con críos de brazos, y varios grupos de niños que correteaban o que jugaban con la arena, actividades que indicaban la poca conciencia que tenían sobre lo que ahí estaba sucediendo, y que era el reflejo exacto de la poca información que tenían todos en esa playa: nadie sabía en realidad lo que estaba empezando a pasar. Unas horas después del amanecer comenzaron a tener alguna pista, del otro lado de la alambrada que los separaba de Francia se formó un cerco de soldados senegaleses que tenían cara de pocos amigos y demasiadas armas encima, una larga al hombro y dos pistolas y un puñal en la cintura. *La cosa se veía del carajo,* dice Arcadi, *deambulaba por ahí aterido del frío, el sol era una cosa simbólica, nada más un aviso de que había llegado el día.*

Pegada a la arena reinaba una niebla, espesa o difusa, según la empujara el mistral. A mediodía la gente empezó a hacer fogatas y a preguntarse a qué hora pensaban alimentarlos, algunos calentaban agua del río que corría ahí cerca, en cacharros o en latas que se habían encontrado. Arcadi dio con un grupo de artilleros que habían peleado con él en la batería de Montjuïc, intercambió impresiones y ahí se enteró de que no había cabañas, ni barracas, ni cobijas ni absolutamente nada que pudiera protegerlos de la noche que se aproximaba. En la mañana, se decía, se habían llevado de la playa varios cadáveres, gente enferma o vieja que no había aguantado el desgaste del viaje desde la frontera con el fango hasta las rodillas. También se decía que había muerto gente de frío y Arcadi pensaba, mientras oía esa información, en el hombre inmóvil que había caído de boca y se había quedado con la cara pegada a la arena. Cuando llegó la noche las hogueras comenzaron a multiplicarse, cada grupo encendía la suya y utilizaba todo tipo de material combustible, los objetos más diversos. Se decía que dos hombres que sacaban ramas del río habían recibido una golpiza de los guardias senegaleses, el motivo era un misterio pero quedaba claro que nadie podía acercarse demasiado al agua dulce sin arriesgarse a recibir una tunda. De esto se habían enterado, de boca en boca, los cien mil habitantes de la playa, y de esa forma, y con ese método, iba instalándose el orden, las reglas que debía observar esa multitud de desterrados, entre ellas la que había inspirado un hombre al estirar la mano para recoger sus anteojos, que en un aspaviento accidental habían caído del otro lado de la alambrada, y eso le había valido un pisotón en la muñeca que le fracturó los huesos y de paso convirtió en añicos los cristales. Conforme los troncos se consumían caían al fuego todo tipo de objetos, manuales de guerra, un macuto, un trío de gorras militares, un montón de insignias, zapatos, cosas de las que se deshace quien piensa que la situación va a mejorar al día siguiente. Alguien aprovechó el fuego para cocinar unas patatas que habían llegado no se sabía bien de dónde, eran parte del mismo sistema espontáneo, a la información de boca en boca correspondía el abastecimiento de mano en mano. El fuego acabó extinguiéndose, quedó la niebla espesa y un murmullo de voces en declive encima del cual aparecía, con cierta frecuencia, el llanto de un niño que hacía pensar a todos en lo mal que habían comido, en lo mal que iban a dormir y en el cariz horrible que estaban tomando los sucesos, es decir, la ausencia de ellos, todo lo que había pasado en esa playa durante las primeras veinticuatro horas había sido la degradación de la situación original. Ninguno de los cien mil que trataban de conciliar el sueño podía imaginar que esa degradación traía vuelo suficiente para sostenerse durante meses y en algunos casos, en un plano más amplio, tomando el final de la guerra como el inicio del declive, durante el resto de sus vidas.

Esa segunda noche Arcadi durmió encima de la arena, sin cartón que mediara entre su sueño y el mundo. Sus colegas habían ideado dormir de manera escalonada, la noche anterior había muerto uno de ellos y eso les había enseñado que dos tenían que montar guardia mientras el resto dormía. La misión de los dos guardias en turno era interrumpirles a los otros el sueño, para evitar que sin darse cuenta murieran de frío. Arcadi trataba de sobrellevar sus periodos de sueño tapándose la cara con un pañuelo, una simpleza que le proporcionaba una buena dosis de confort: el rocío se congelaba en la superficie del pañuelo y su cara quedaba resguardada, y esto le permitía soportar mejor la escarcha que le cubría el cuerpo, un confort inexplicable, atávico supongo, proteger la cabeza, poner a salvo la cara, donde se concentran los sentidos y los rasgos de identidad.

El día siguiente, excepto dos episodios sombríos, transcurrió igual que el anterior. Al amanecer había aumentado el número de muertos en la playa, muertos de frío, de enfermedad o de desesperanza. Como no había autoridad y los negros que vigilaban impávidos la alambrada no parecían preocupados por la profusión de cuerpos muertos, un grupo tomó la iniciativa de irlos enterrando, en una zona específica, para evitar que la carne al descomponerse produjera una epidemia. A mediodía, en el momento estelar de una tormenta de nieve que complicaba las excavaciones de la fosa común, una columna de combatientes agonizantes entró al campo. La excavación se hacía con los rudimentos que se hallaban por ahí, un palo, el vidrio de una botella, un trozo de fierro, a mano limpia, un esfuerzo enorme que la nieve complicaba y con frecuencia los obligaba a empezar a excavar otra vez de cero. La columna de combatientes heridos o enfermos venía desde el hospital de Camprodón huyendo del horror de la represión franquista, habían cruzado la frontera buscando otro hospital donde resguardarse, pero los guardias franceses no habían hecho más que conducirlos hasta ese campo de refugiados donde no existían las camas, ni las medicinas, ni la atención médica que se les había prometido. Los enfermos, que venían huyendo del horror de Franco, miraban incrédulos el horror que les aguardaba en esa playa, y aunque entre los prisioneros había médicos y gente dispuesta a ayudarlos, poco era lo que podía hacerse por ellos y durante los días siguientes los miraron agonizar en el lodo y en la nieve, sólo unos cuantos salieron a flote, quién sabe cómo. Las maniobras de excavación para tanto entierro, batallando contra la tormenta, fueron insuficientes, los cuerpos que empezaron a descomponerse en el lodazal, a la vista de todos, iban a ser el fermento de una epidemia de disentería y otra de tifus que se esparcerían por la playa.

Al tercer día llegó el contingente de guardias franceses que se haría cargo de la disciplina del campo. La primera orden que dieron fue para los soldados senegaleses, una indicación salvaje y sintomática: abrir fuego contra aquel que se acercara a la alambrada. La información se esparció de boca en boca hasta que llegó a oídos del hombre de las gafas fracturadas y de la muñeca hecha añicos y le hizo pensar que ese dolor de huesos que lo torturaba era, a fin de cuentas, una manifestación de su buena suerte. La primera medida que tomaron los guardias franceses fue levantar un censo que fragmentó a la población en islotes y dio origen a una lista que controlaba a los prisioneros. El que por cualquier causa no respondía cuando su nombre era mencionado era considerado desertor, y si no había tenido la suerte de huir se hacía acreedor a cuarenta y ocho horas de pozo, un agujero en la arena de un metro cuadrado por tres de profundidad donde iban a parar los que cometían alguna infracción, casi siempre nimia, irrelevante si se comparaba con la experiencia de estar adentro de ese pozo de paredes frágiles que cuando llovía o nevaba se convertían en una catarata de lodo, una avalancha que las más de las veces terminaba sepultando vivo al prisionero.

Una vez por semana los formaban desnudos en una línea y los bañaban con una manguera conectada a una pipa. El agua se dispensaba con lentitud, a veces los prisioneros esperaban hasta un cuarto de hora para recibir el chorro, pero esta situación no era tan grave como la de los que recibían el chorro primero y luego tenían que esperar ese cuarto de hora, desnudos y empapados, con una temperatura ambiente que en las mañanas de invierno rondaba los menos diez grados centígrados. *No pocas veces,* dice Arcadi, *vi cómo alguno de la fila caía al suelo inconsciente, temblando, atacado por una hipotermia que lo invadía de tonos purpurinos.* Después de la manguera pasaban los guardias con unos cubos llenos de petróleo para que los prisioneros metieran un trapo y se lo untaran por todos los rincones del cuerpo. Éste era el método que había concebido la autoridad para combatir las plagas de pulgas y de piojos, había pieles que al contacto con el petróleo sufrían irritaciones, eccemas, llagas, todo tipo de reacciones cutáneas que terminaban siendo preferibles a las invasiones de bichos que, mientras no pasaban cosas peores, engordaban anécdotas que se reproducían, crecían y se exageraban de boca en boca. Había relatos de hombres que habían sido devorados de pies a cabeza mientras dormían por un ejército de millones de chinches, y en su lugar no quedaba ni rastro. Otros aseguraban que chinches y pulgas, cuando eran legión, producían juntas un grito desgarrador que a veces despertaba a la víctima, justo a tiempo para espantarse la plaga que le había caído encima. Las anécdotas se disparaban en todas direcciones, iban de los que habían sido devorados íntegramente hasta los que habían sufrido pérdidas fragmentarias, un dedo, un trozo de pantorrilla, un testículo. El baño de petróleo era por estas razones bienvenido. Arcadi, cuando habla de estos bichos en la cinta de La Portuguesa, se pone escéptico, dice que nunca vio que devoraran a nadie y que sí abundaban los mancos y los cojos, pero que él nunca pudo confirmar que esos insectos fueran los autores de tales mutilaciones.

Las semanas pasaban sin que la situación cambiara en Argelès-sur-Mer, los republicanos seguían durmiendo a la intemperie, aunque en algunos islotes, como era el caso del de Arcadi, habían excavado en la arena una cavidad, entre madriguera y covacha, que les servía para refugiarse de los embates de la nieve y del mistral. Aunque vivir a la intemperie era una desgracia severamente acentuada por la escasez de comida, los prisioneros comenzaban a experimentar el consuelo de que el invierno se iba yendo, los días empezaban a ser más cálidos y más largos. Muchos habían llegado a la conclusión de que el gobierno francés los maltrataba para obligarlos a regresar a España, donde los esperaba la represión franquista, que, según se habían enterado, era un horror superior al que podía vivirse en esa playa. Regresar a España era una de las formas de salir del campo, otra era que un ciudadano francés reclamara la custodia de alguno de los republicanos, o bien que lo hiciera, con el consentimiento del prisionero, la legión extranjera o el ejército. La vía que les quedaba a los que, como Arcadi, no pensaban exponerse a la venganza de Franco ni tampoco tenían a nadie en Francia que pudiera reclamarlos, ni les apetecía enrolarse en otra guerra, era escaparse en cuanto hubiera oportunidad. Había quienes, acobardados porque la experiencia de Argelès-sur-Mer parecía no tener fin, decidían regresar a España a purgar la pena que les tocara durante los años que fueran necesarios para finalmente reunirse con su familia y rehacer su vida. Los que optaban por esto se ganaban el rechazo de aquella mayoría republicana que, aun cuando pasaba las de Caín en esa playa, no pensaba manchar el resto de su vida con la catástrofe personal de irse a rendir ante Franco. En todo caso preferían esperar, tenían información de que en Europa las cosas no andaban bien, de que estaba a punto de desatarse una guerra, y si eso llegaba a ocurrir iban a abundar las oportunidades para escapar, para quedarse en Francia o para irse a otro lado. La idea fundamental era la necesidad de conservar la república aunque fuera en el exilio, era imperativo seguir funcionando como contrapeso del totalitarismo franquista, era capital que esas quinientas mil personas que habían tenido que exiliarse sirvieran de referente y fueran la semilla de la república española del futuro. A la luz de esta idea cada republicano que se rendía en algo debilitaba el diseño del porvenir.

El director ocupaba un barracón de madera calafateada que era el centro gravitacional del campo, de ahí emanaban las órdenes y la información, es decir: la autoridad. Los prisioneros tenían prohibido acercarse y aquel que rebasaba el límite se exponía a ser catalogado como la primera manifestación de un motín y a que, sin más averiguaciones, se le disparara. Aquel barracón era el único punto de la playa donde había luz eléctrica, en la noche sus ventanas *brillaban como joyas* y producían, según Arcadi, *cierto confort.* Lo dice el mismo, y esto hay que tomarlo en cuenta, que hallaba confort en cubrirse la cara con un pañuelo, supongo que era su truco para no volverse loco: establecer una nueva jerarquía de la existencia, varios niveles abajo, donde pan agusanado y tripas podridas eran una comida completa y vaciar la mierda de las tinajas un oficio tan digno como cualquiera.

Las órdenes y las noticias iban esparciéndose a lo largo de la playa por los altavoces de un camión que se desplazaba lentamente del otro lado de la alambrada, sobre un camino de arena que por las tardes llenaba una multitud de curiosos que encontraban divertido fisgonear la vida mísera de ese enjambre de españoles magros y barbudos. Una tarde Arcadi oyó el nombre de Bages en el altavoz del camión, era la primera información que tenía de que su amigo finalmente había logrado pasar a Francia. Oyó el nombre y por más que corrió para interceptarlo antes de que se fuera no lo consiguió, solamente logró ver desde una distancia excesiva cómo se iba yendo, lo vio de espaldas y corrió hacia la alambrada y aunque Bages ya iba muy lejos, fuera del campo, a una distancia que no podía cubrir a gritos, se puso a gritarle desesperado, por muchos motivos, porque era su amigo y porque una vez internado en Francia podría ayudarlo a salir de esa playa y porque en esa espalda monumental que se iba yendo veía escaparse el último referente de su vida anterior: una vez ido Bages, todo lo que le quedaba era el futuro, un territorio insondable cuyo horizonte terminaba en ese cerco de alambre de donde se fue a agarrar para gritarle a Bages con más fuerza, una sola vez más, porque en cuanto iba a repetir el grito, le entró en la boca la cacha de una pistola que sostenía un guardia senegalés. *Luego me quedé pensan-*

do durante meses, dice Arcadi, *que quizá se trataba de otro Antoni Bages y que igual le había gritado a la espalda de otro, pero resulta que no, que en cuanto nos reencontramos, años después, en los portales de Galatea, lo primero que hicimos fue sacar cuentas y concluir que mis gritos habían sido efectivamente para él. Todavía hasta la fecha Bages me jode diciéndome que la verdad es que sí me oyó pero se hizo el sordo,* dice Arcadi y al decirlo, por la manera en que lo hace y por el tono que utiliza, parece que sonríe, o acaso me acuerdo del momento y de su sonrisa e invento que en esa frase grabada hay una manera y un tono.

El arma del senegalés le rompió a Arcadi nueve dientes y le produjo una infección que lo tuvo una noche sacudido por la fiebre en el tejaván que se había levantado para atender a los enfermos y a los heridos. *Tenía un dolor de encías por el que hubiera llorado si mi vecino de catre, al que acababan de amputarle una pierna con un herramental sucio y tosco, no hubiera convertido mi dolor, por contraste, en una nimiedad.* Durante toda esa noche, junto a ese hombre recién mutilado que gritaba desde otra dimensión, cuenta Arcadi que pensar en Laia, que entonces debía tener un año, lo sosegaba. Su vecino también fue sosegándose a su manera, en la madrugada se fueron sus gritos y él mismo se fue yendo, durante las siguientes horas, en paz, ya sin dolor, aniquilado por una invasión de gangrena. Arcadi recuerda la tranquilidad de su gesto y el amarrije lodoso y pestilente que le cubría el muñón. A la mañana siguiente Arcadi fue dado de alta, es decir, uno de los estudiantes de medicina le pidió que abandonara el tejaván porque había otros enfermos o heridos que necesitaban el espacio.

Lo peor de todo era la monotonía, dice Arcadi, y después oigo en la cinta cómo yo mismo le digo desde un sitio remoto, lejos del micrófono, que me parece absurdo que la monotonía fuera un elemento de consideración en esa playa donde abundaban las desgracias. *Ese caminar por ahí para estirarnos que ejecutábamos los prisioneros al amanecer, se extendía a lo largo de toda la jornada y estas jornadas iban sumando semanas y meses: se trataba de resistir y de esperar, no había más que hacer,* dice Arcadi a manera de justificación, y después añade, y mientras habla puede oírse que su garfio golpea un par de veces contra el descansabrazos de metal que tiene su silla: *y esto también va a parecerte absurdo pero lo segundo peor de todo era la arenitis.* ¿La arenitis?, se oye que digo. *Sí, una psicosis que no puedes entender si no has estado mucho tiempo conviviendo con la arena, vivíamos y dormíamos sobre ella, había arena en la ropa y en lo que comíamos, arena en los pies y entre las uñas de las manos y en las corvas y en el culo y debajo de los huevos y en los ojos y esa omnipresencia de la arena con el tiempo provocaba resequedades y eccemas y hongos y unas conjuntivitis que nos ponían color grana lo blanco de los ojos. Pero peor que los efectos físicos eran los psicológicos, porque era una tortura sistemática que no tendría fin ni remedio mientras hubiera arena en esa playa, ¿te imaginas lo que era esa plaga?*

Cuando llegó el verano los guardias franceses fueron sustituidos por spahis. Los nuevos guardianes parecían caídos de otra galaxia, usaban capa roja y montaban caballos enanos de Argelia, eran una visión lujosa que contrastaba con la decadencia general que uniformaba el campo luego de seis meses de haber entrado en operación. *Cuerpos esqueléticos, disentería, rachas incontrolables de diarrea*

*y no te enumero la lista completa de incomodidades porque no
va a alcanzarte con esa cinta que traes,* dice Arcadi mientras
demora en la boca un hueso de aceituna que unos instantes después echa, ruidosamente, en un cenicero de lámina.
Traigo más cintas, se oye que le digo y también se oye, lejos y alto, el graznido de un pijul. Arcadi no hace caso de
lo que digo y sigue hablando. La idea de llenar de spahis
esa playa decadente era sustituir a los guardias, que ya empezaban a habituarse a la convivencia con los prisioneros de
una manera poco conveniente, no sólo habían empezado
a conversar y a intercambiar información, también había
nacido un mercado negro en el que los prisioneros podían
conseguir, a cambio de objetos o de dinero, paquetes de ci-
garros, cobijas, embutidos o botellas de licor.

Desde el principio de la primavera el campo había
sido visitado semanalmente por entrepreneurs, dueños de
granjas o de fábricas que necesitaban mano de obra bara-
ta con propósitos diversos, levantar una cerca, transportar
bultos de un lado a otro, reparar un tejado, desparasi-
tar una comunidad de vacas, en fin, oficios efímeros que
muchos aceptaban con gusto porque salían unas horas
del campo y además ganaban dinero. La paga era ínfima,
insultante, pero también era un instrumento para conseguir los productos que se ofrecían en ese mercado negro
que no había tardado en florecer también entre las filas
de los spahis.

Para septiembre los prisioneros comenzaban a perder la paciencia, la población del islote de Arcadi se había reducido a la cuarta parte y un diluvio devastador había
terminado con el poco ánimo que les quedaba. No hubo
primeras gotas ni preámbulo de ninguna clase, la lluvia se
soltó desde el principio con una intensidad que los hizo
pensar que pasaría pronto. Llegaron a uno de los tejavanes
justo en el momento en que un relámpago verdoso atra-

vesaba de lado a lado la espesura violeta de los nubarrones. Luego vino una racha completa, un bombardeo que iluminaba la playa y el mar, que de un segundo a otro había empezado a volverse muy violento. Una ola se elevó a una altura fuera de lo común y cayó de golpe sobre la arena con un estruendo que se deshizo en una mancha de espuma, una invasión que llegó hasta el tejaván, dejó a los prisioneros con el mar hasta las rodillas y se llevó arrastrando a uno que estaba mal parado. Luego vino otra ola que se llevó al resto, súbitamente se vieron atrapados en un remolino de espuma que primero los arrastró por la arena, pasándolos por encima de troncos y de lo que Arcadi supone era un grupo de tinajas, no pudo comprobarlo porque de improviso la ola cobró más fuerza, o quizá se trataba de otra ola, y de un solo envión lo arrojó contra un pilote al que se abrazó hasta que pasó la parte difícil de la tormenta. *La sensación que tuve era de que me arrojaba por los aires,* dice. ¿Cómo que por los aires?, se oye que pregunto yo. *Así, como lo oyes, por los aires,* contesta impaciente y sigue su historia, que ahora entra en un periodo de calma, *la calma después de la tormenta, que resultó bastante peor que la tormenta,* dice con una sorna que en la cinta suena poco veraz, todo lo contrario de lo que percibí cuando me lo dijo, incluso en la cinta se oye que me río, que el anexo que le hizo al refrán me parece gracioso, que me manifiesto como su cómplice. Con esa calma suya, detrás de la cual había permanentemente una tormenta, retoma el hilo agarrado al pilote de hormigón. La tormenta se disipó de golpe, como había llegado. Las vejigas color violeta que amenazaban con inundar todo el sur de Francia se volvieron nubes estándar que un viento atmosférico se llevó para otra parte. Había oscurecido y reinaba una luna lavada por la lluvia, luminosa, que paseaba su espectro por toda la playa. Arcadi se incorporó, o trató de hacerlo, porque en cuanto efectuó el primer movimiento, percibió que el pilote que lo había salvado del diluvio era parte de la alambrada del campo y que él tenía clavada una línea de púas a lo largo del costado izquierdo. A lo lejos se veían sombras solitarias deambulando, grupos fantasmales deliberando cosas. Desde donde estaba no alcanzaba a divisar ninguno de los tejavanes, pero supuso que la ola lo había arrojado hasta un sitio remoto, desde donde no había perspectiva suficiente para verlos. Se desprendió del alambre sin pensarlo mucho, sin calcular que las púas se le habían clavado en la carne y que iban a dolerle en cuanto se desprendiera de ellas. Se echó a andar y en cuanto tuvo una mejor perspectiva descubrió que no estaba en un sitio remoto, sino que la tormenta había arrasado con todos los tejavanes. Enfiló hacia el mar, donde había un grupo de personas que ni se movían ni hablaban, nada más estaban ahí esperando algo. La playa era un lodazal revuelto con una capa verdosa de plancton y yerbajos oceánicos. A medio camino entre el pilote y el grupo de personas se detuvo frente a un bulto de arena que tenía un brillo, un destello, un punto que absorbía un rayo completo de luna. Miró bien y descubrió que era un cuenco lleno de agua, que después de mirarlo mejor se convirtió en el ojo de alguien cuyo cuerpo, a primera vista, podía confundirse con un bulto. Más que el ojo y que el náufrago lo asustó que no experimentó nada, ni piedad, ni lástima, ni miedo, ni nada. Tampoco experimentó ninguna sensación al ver que a unos cuantos metros había otro cuerpo, y más allá otro, y más allá otros más, una abundancia parecida a la de aquella fila de heridos que habían llegado a morirse al campo.

Los spahis aparecieron al amanecer, con sus capas rojas volando al viento parecían los vástagos del sol. En cambio los negros que custodiaban la alambrada estaban en sus puestos, cumpliendo con su deber desde el momento en que se había disuelto la tormenta. Un oficial de megáfono y lodo hasta los tobillos comenzó a gritar las órdenes del día, el camión que usualmente daba ese servicio había sufrido daños considerables y había quedado fuera de combate. Las órdenes eran una obviedad que los prisioneros ya habían calculado, sepultar a los muertos, reubicar las tinajas de la mierda, rehabilitar los tanques de agua dulce, levantar nuevamente los tejavanes. A mediodía llegaron varios camiones cargados de pacas de paja, la autoridad había previsto que los prisioneros echaran varias paletadas en el suelo de sus islotes para que no tuvieran que dormir directamente sobre el lodazal. El campo quedó reconstruido en unos cuantos días, aunque en realidad no había mucho que reconstruir, la vida en esa playa seguía haciéndose prácticamente a la intemperie. La paja resultó un desastre, venía infestada de pulgas y los prisioneros, que de todas formas terminaron durmiendo encima del limo y de los yerbajos oceánicos, tuvieron que someterse a aplicaciones dobles y hasta triples de petróleo. El remedio que se aplicó para paliar ese desastre fue sacar la paja de los islotes y arrinconarla por ahí en una infinidad de montones amarillos que fueron tomados a saco por un tumulto de ratas, que terminó convirtiéndose en una alternativa frente al pan agusanado y las tripas nauseabundas. *Yo nunca comí rata,* dice Arcadi con un orgullo hasta cierto punto inexplicable, como si comer rata hubiese sido lo peor que sucedía en ese campo atestado de calamidades, y después cuenta cómo antes de dormir se untaba petróleo en zonas claves del cuerpo para que el olor ahuyentara a las ratas, le daba pánico abrir los ojos y descubrir a una olisqueándolo, o toparse de frente con un par de ojillos rojos. *Había colegas a los que no les importaba,* dice, *había noches que abría los ojos y veía que por la espalda de uno o sobre el pecho de otro deambulaba tranquilamente un ejemplar.* A pesar de la precaución de untarse petróleo, una mañana Arcadi descubrió la evidencia de que uno de esos ejemplares lo había visitado. Vio, atenazado por el horror, que su cinturón tenía una mordida mínima que lo hizo brincar y sacudirse como si todavía trajera la rata encima. La noche siguiente untó petróleo en su cinturón, una medida que, según la opinión de uno de sus colegas, iba a provocar que la rata, al no poder morder en ese sitio simplemente iba a morderlo en otro que quizá fuera más comprometido. Además del petróleo en el cinturón, duplicó la dosis que se untaba normalmente en el cuerpo, luego se echó a dormir pero la preocupación no lo dejó *pegar el ojo,* o eso fue lo que él pensó, porque en la madrugada se levantó a orinar y a la hora de desabrocharse el cinturón vio que junto a la mordida de la noche anterior había una nueva, igual de mínima. La escena se repitió, idéntica, en tres ocasiones más. Arcadi sostiene que nunca estuvo tan cerca de volverse loco, por más que trataba de mantenerse despierto siempre había un instante, una distracción, un cabeceo que la rata aprovechaba para morderle el cinturón.

En octubre la población de ratas disminuyó considerablemente. Otro diluvio que hizo crecer y desbordarse a los ríos Tech y Massane dejó la playa transformada en el fondo de un lago de medio metro de profundidad. El agua tardó casi dos días en regresar a su cauce y durante todo ese tiempo los prisioneros tuvieron que estar de pie con el agua hasta las rodillas. *Lo verdaderamente sorprendente,* dice Arcadi, *es que los negros senegaleses seguían ahí, vigilándonos, pasando las mismas incomodidades que nosotros.* Durante las primeras horas de la tormenta, cuando los ríos comenzaron a desbordarse, el agua empezó a correr por la playa con bastante violencia, los prisioneros habían tenido que hacer esfuerzos para mantener el equilibrio y no dejarse arrastrar por el caudal. La corriente terminó en cuanto la inundación llegó a su nivel y dio paso a todo eso que los dos ríos habían arrastrado, en su versión desmesurada, a campo traviesa y colina abajo, rumbo a su desembocadura en el mar: ramas y árboles completos, trozos de viviendas como puertas o contraventanas, o tablones solitarios que habían sido parte de una cerca o de una tapia. También pasaban flotando objetos, sillas, o cubetas, o la base de una cama, cosas que en cuanto bajó el agua fueron aprovechadas, con la venia de la autoridad, por los islotes. Probablemente, los oficiales que estaban al mando de Argelès-sur-Mer habían considerado que las noches que tendrían los prisioneros, a lo largo de los siguientes días, echados encima de ese lodazal irremediable, necesitarían del consuelo de esos despojos húmedos que les había llevado el río. Junto con los objetos llegaban también animales, vacas y caballos que pasaban navegando, panza arriba, tiesos y majestuosos, solitarios o en flotillas de dos o tres que iban a detenerse, a arracimarse, si vale el término para las naves que han sido primero animales vivos, en la alambrada de púas que rodeaba el campo. Cuando bajó el agua en la playa y los ríos regresaron a su cauce, los animales se quedaron ahí, encallados, descomponiéndose, expuestos al sol que salió para anunciar que el diluvio había terminado. Arcadi no se ocupa de las infecciones que ocasionaron esas naves en descomposición, ni de que a causa de éstas el número de prisioneros quedó nuevamente diezmado, se concentra en una imagen que se repetía por segunda vez en su vida. Caminando por la playa, observando, porque no había más que hacer, los saldos de la inundación, se topó con una pila de caballos muertos, idéntica a la que había visto en Barcelona, en la plaza de Cataluña, durante los primeros días de la guerra.

A los refugiados españoles que seguían prisioneros en Argelès-sur-Mer, se sumaron un millar de gitanos que habían llegado empujados por la Segunda Guerra, más un ciento de croatas, que nadie sabía bien cómo habían llegado hasta allí, ni cuál era el objetivo que se perseguía al encerrarlos. Unas semanas más tarde llegó a engrosar la población un contingente de judíos sefarditas, una oleada de individuos vestidos de civil cuyas ropas pusieron de relieve el menoscabo de los uniformes republicanos. Poco a poco, semana tras semana, sefarditas y gitanos, que al principio habían brillado por sus ropas y sus maneras de recién llegados, fueron siendo uniformados por las inclemencias del campo, la mala alimentación, las infecciones, las noches de fiebre magnificadas por el mistral, terminaron por igualarlos a todos. También los igualaba el ritmo de la vida en esa playa, deambular a las mismas horas, formarse cuando lo exigía la autoridad, bañarse con manguera y secarse a friegas de petróleo, vaciar por turnos las tinajas de mierda y sobre todo esperar a que sucediera algo que los pusiera en libertad. Dos meses más tarde republicanos, gitanos y sefarditas se habían convertido en una banda homogénea de hombres barbudos, astrosos y esqueléticos. La convivencia era estrecha, íntima, no sólo compartían el islote y la comida, también vislumbraban un destino parecido y, en el caso de los republicanos y los sefarditas, un pasado semejante, los dos habían sido expulsados, cada quien en su tiempo, de España, una desgracia histórica que ya los venía asociando desde los preámbulos de la Guerra Civil, mediante esa idea de la derecha española y de sus curas y de sus militares, que reducía todo el proyecto republicano a una conspiración judeo-bolchevique-masónica. La iglesia católica había confundido al demonio con los judíos y cuatrocientos y tantos años después volvía a confundirlo con los rojos.

A las visitas que hacían periódicamente los entrepreneurs de la región, se habían sumado las del embajador Luis Rodríguez y su cauda de diplomáticos, que a veces era de tres, otras de cinco y otras veces una cauda más numerosa donde se mezclaban diplomáticos mexicanos y autoridades francesas. Rodríguez era el jefe de la legación de México en Francia, era el hombre de confianza que el general Lázaro Cárdenas había designado para articular su proyecto de darle asilo a los republicanos que no podían regresar a España, que seguían atrapados en Francia en alguna de las complicaciones que habían ido multiplicándose dentro de ese lapso oscuro que iba del final de la Guerra Civil hasta los preámbulos de la Segunda Guerra Mundial. A diferencia de la mayoría de las democracias del mundo, México consideraba que Azaña seguía siendo el presidente legítimo de España y que Franco era un general golpista que se había quedado a la fuerza con la jefatura del país.

Los diplomáticos de Rodríguez deambulaban por el campo y hacían preguntas, querían levantar un censo aproximado de cuántos prisioneros, en caso de que lograra establecerse un operativo, desearían acogerse a la invitación del presidente de México. El trámite era muy sencillo, apuntar su nombre en una lista, llenar un cuestionario y esperar, durante algunos meses, a que se consiguiera un barco para que los transportara. De todas formas los prisioneros no tenían más opción que permanecer en el campo hasta que algo sucediera. Algunos pronosticaban que con el avance de la guerra se facilitaría su integración a la sociedad francesa, pero lo único que había pasado hasta entonces era que el ejército francés había reclutado republicanos españoles para anexarlos a sus filas, se trataba de un asunto voluntario, como ya se dijo, en el que se había inscrito una cantidad sorprendente de españoles. Otros habían logrado librarse del campo yéndose a alguno de los países de la órbita soviética, donde había manera de acomodarse luego de resolver ciertos trámites con el Partido Comunista. De las tres opciones, descartando la opción siempre latente de escaparse y correr con suerte, la mexicana era la que menos trámites requería; el general Cárdenas mandaba a decir, en la voz de sus emisarios, que México recibiría a cualquier republicano español que aceptara su invitación.

El embajador Rodríguez llegó una tarde al tejaván de los artilleros. A su cauda de diplomáticos se había añadido otra de spahis que lo custodiaban. El grupo era una visión del más allá, un contingente de hombres vestidos de frac que sorteaban tinajas de mierda y brincaban zonas pantanosas de la playa, con la soltura de quien atraviesa un salón para buscarse un canapé. El embajador se plantó en el centro del tejaván, consciente de que su estatus diplomático era menos contundente que su traje oscuro. Arcadi recuerda que no atendió a la presentación que de sí mismo hizo Rodríguez por estarle mirando la plasta de lodo que cubría parcialmente sus zapatos de charol y que subía, en un flamazo de arena, hasta la base de las rodillas. Además de Argelès-sur-Mer, los diplomáticos habían hecho visitas, igualmente aparatosas, a Brams, a Gurs y a Vernet D'Ariège, los otros campos de la zona. Rodríguez explicó el proyecto y advirtió que aun cuando se trataba de un asunto prioritario para el gobierno de su país, había algunas dificultades que debían superar. Por una parte, el gobierno francés no se decidía a proteger a los republicanos que se acogieran a la invitación de Cárdenas durante el lapso, que podía durar semanas o meses, que tardara su barco en zarpar. Esto representaba una dificultad mayor porque un republicano sin protección podía ser capturado por alguno de los agentes que Franco había mandado a Francia con el objetivo de aprehender refugiados para llevárselos de regreso a España e internarlos en alguna de sus prisiones. Por otra parte los acontecimientos de la Segunda Guerra comenzaban a entorpecer las rutas marítimas entre Europa y América. A pesar de todo, Luis Rodríguez estaba convencido de que lograría llevarse a México a varios miles de refugiados españoles. Terminando su explicación, se sentó en una caja de madera y sobre las rodillas comenzó a elaborar una lista de quienes estuvieran interesados en inscribirse en su proyecto. Algunos se resistieron al principio, estaban seguros de que pronto Franco anunciaría un periodo de amnistía y preferían regresar a su país, a seguir con la vida que habían tenido que interrumpir. Su confianza en la amnistía tenía una base endeble, creían que Franco no podía ser tan canalla, que no podía dejar, así nada más, a cientos de miles de españoles sin país y sin familia. Al final todos terminaron apuntándose luego de que el embajador les prometiera que, en caso de que llegara la amnistía, desaparecería la lista y no quedaría rastro de ese compromiso en ningún sitio. Mientras apuntaba los nombres con su caligrafía despaciosa, Rodríguez respondía a todo tipo de preguntas sobre el mundo exterior. Sus diplomáticos, mientras tanto, apuntaban mensajes y números telefónicos, la iniciativa del embajador también incluía ponerse en contacto con las familias de los prisioneros, hablar con ellas personalmente para ponerlas al tanto de la situación. Había quienes, como era el caso de Arcadi, preferían no tener ese tipo de contacto, aunque fuera por la vía de un tercero, más que el deseo de tranquilizar a su familia podía el miedo de meterlos en un aprieto con los franquistas. Los diplomáticos se fueron como habían llegado, rodeados de spahis, en una imagen extravagante que se fue disolviendo contra las luces del atardecer. Más tarde, cuando encendían la primera fogata para combatir el frío de la noche, vieron pasar a lo lejos, por la carretera, los tres Buicks negros y fantasmales de los diplomáticos.

Una semana después, en el islote de los artilleros comprobaron que el proyecto iba en serio. El embajador apareció solo, sin cauda, custodiado por dos guardias del campo. Entró al tejaván y fue dando cuenta a cada uno de los prisioneros que se lo habían solicitado de los mensajes que les enviaban sus familias. Arcadi recuerda que el embajador se veía tan satisfecho como extenuado, había conducido quién sabía cuántas horas para irles a comunicar personalmente los mensajes y entre un mensaje y otro se había quedado, durante unos instantes, dormido, con la mano en alto en el momento en que iba a decir algo. Exactamente lo mismo, cosa nada difícil tratándose de esa imagen, recuerda Putxo, un colega de Arcadi con quien me entrevisté en el sur de Francia años después de las cintas de La Portuguesa, y gracias al cual supe de la existencia de los rojos de ultramar. Ni en las cintas ni en las páginas de las memorias de Arcadi abundan los nombres de otras personas, a veces da la impresión de que pasó por todo eso solo, sin gente real alrededor, por su narración cruzan de cuando en cuando figuras etéreas, sólo nombres como el de Putxo o el de Bages, incluso hay varios sin nombre, casi todas las mujeres por ejemplo son la mujer de alguien, la mujer de Oriol, la mujer de Narcís, incluso mi abuela, que se llamaba Carlota, aparece siempre como «mi mujer». Desde que trabajaba en la recolección de datos sobre su vida en Argelès-sur-Mer, comencé a pensar que su idea de que la guerra la había peleado otro, que otro había sido el republicano y el artillero, era un asunto serio, de otra manera no había forma de explicar al hombre en que Arcadi se había convertido sesenta años después.

Mientras Arcadi y sus colegas esperaban noticias en el campo, Luis Rodríguez y su equipo establecían lazos con las organizaciones de ex combatientes republicanos y trataban de embarcar a México a los refugiados que habían logrado permanecer clandestinamente en Francia, y a los que habían conseguido ser reclamados de sus campos de prisioneros. Las oficinas de la legación ocupaban un piso en un edificio de la Rue Longchamp, junto a la plaza Trocadero en París. El equipo del embajador trataba de repartir su tiempo entre sus compromisos diplomáticos, que eran numerosos y extremadamente delicados, y la atención a los refugiados españoles que consumía la mayor parte de sus horas de trabajo. Desde la madrugada empezaba a formarse una fila, que arrancaba en la puerta del edificio donde estaba la legación y que ya para el mediodía había cubierto la acera de la Rue Longchamp y había torcido río abajo en la siguiente esquina. El trabajo era interminable, aun cuando había periodos donde la legación no expedía documentos, por petición expresa del gobierno francés o porque ellos mismos necesitaban tiempo para ordenar el océano de papeles que tenían en sus oficinas, de todas formas la gente hacía una fila tentativa y apuntaba su nombre en una lista para asegurarse un lugar el día que se reanudaran los trámites y la fila fuera fila de verdad. Y mientras llegaba ese momento, el piso se llenaba de individuos que querían tratar su caso personalmente con don Luis, que por su parte no sólo atendía peticiones y escuchaba historias desesperadas en su oficina, en un restaurante, en plena calle, o en la sala de su casa, también recibía un alud de llamadas telefónicas y contestaba, de puño y letra, decenas de cartas todos los días.

Durante aquella entrevista en La Portuguesa, Arcadi se había puesto a esculcar en una caja de cartón, removió papeles y objetos hasta que dio con las cartas que don Luis Rodríguez, de su puño y letra, le había contestado. Yo había visto en aquella media docena de cartas, donde el embajador le detallaba a mi abuelo los progresos de su caso, la evidencia de que aquel diplomático tenía una vocación de servicio extraordinaria. En los sobres de estas cartas puede leerse, del mismo puño y letra, su nombre y abajo: Islote 5, Argelès-sur-Mer, Pyrénées Orientales. Aquella vez había reparado en que no se especificaba que la carta era para el campo de prisioneros y no para la población que tenía el mismo nombre, y le pregunté a Arcadi al respecto. *No había necesidad de hacerlo —me dijo—, había mucha más gente encerrada en el campo que viviendo en el pueblo.*

El nombre de Luis Rodríguez no había llamado mi atención hasta que, espoleado por aquella plática con los alumnos de la Complutense en Madrid, volví a oír la cinta y entonces entendí que, para empezar, había que rastrear el pasado de Arcadi, todas esas zonas oscuras que él nunca estuvo dispuesto a aclarar, a la luz del embajador Rodríguez, cuya historia al final me puso en la línea de investigación del complot que Arcadi y sus socios montaron junto con la izquierda internacional. Algo oía en la voz de Arcadi, mientras escuchaba las cintas con unos auriculares en mi oscuro cubículo de investigador de la UNAM, cada vez que se refería al embajador, tanto oía que me puse a investigar el paradero del archivo de la gestión en Francia de Rodríguez. El maestro Cano, que es el experto en Historia de la Diplomacia en la Facultad de Filosofía y Letras de la universidad, me mandó con un amigo suyo que manejaba el archivo del Ministerio de Relaciones Exteriores y este amigo me dijo, luego de consultar dos o tres datos en su ordenador, que todas las cajas con la documentación que había generado Rodríguez durante esa época seguían en el sótano del edificio donde había estado su oficina, en la Rue Longchamp, en París. Pedí un permiso extraordinario en la facultad y una semana más tarde iba rumbo a Francia a bordo de un avión de Aeroméxico.

The french connection

El 16 de junio de 1940 cayó el primer bombardeo sobre París y unos cuantos días después buena parte de Francia fue ocupada por las tropas alemanas. Arcadi seguía en el campo de prisioneros. Había sobrevivido su segundo invierno y esperaba, parcialmente descorazonado, las noticias del embajador mexicano. Arcadi pensaba, cada vez con más frecuencia, que ni volvería a ver a su familia, ni saldría vivo de ahí. Unos días después del primer bombardeo, un incidente en la playa cambió de curso el destino del islote de los artilleros, que a la sazón contaba con seis ex combatientes republicanos, dos judíos sefarditas y una familia de gitanos, hombre, mujer y tres niños pequeños. El resto había sido reclamado, o había escapado, con éxito o, casi siempre, sin él, o se había muerto de frío, o de alguna epidemia o de desesperación. En abril un batallón de médicos había recorrido el campo dispensando vacunas para la difteria, y el resultado no había sido la erradicación de esta enfermedad sino la muerte, por esta misma, en unos cuantos días, de mil veinte prisioneros, entre ellos varios colegas de Arcadi. El golpe había sido tremendo, no sólo porque se le habían muerto cuatro colegas, sino porque en esa vacuna, que probablemente había sido la inoculación indiscriminada de la enfermedad, cabía la sospecha de que las autoridades del campo, al no saber qué hacer con ellos, estaban planeando exterminarlos. De los 250.000 habitantes que había tenido, en su punto más alto, el campo de Argelès-sur-Mer, quedaban, dieciséis meses después, 18.000.

Una mañana el hijo mediano de la pareja de gitanos jugaba con un cochecito pegado a la alambrada que rodeaba el campo. Un senegalés vigilaba de cerca sus movimientos pero nadie en el islote lo tomó demasiado en cuenta, era una vigilancia de rutina y además se trataba de un niño de tres o cuatro años. En un momento determinado el cochecito cruzó por debajo la alambrada y el niño estiró la mano para recogerlo. La reacción del guardia fue empujar brutalmente al pequeño, ante la mirada incrédula de los habitantes del islote, que en cuanto el niño había pasado la mano por debajo habían comenzado a atender con cierto suspenso el acontecimiento. Su padre el gitano había brincado hacia donde estaba el guardia y le había cogido la cabeza y lo había arrastrado adentro del campo, todo en un instante, mientras otros guardias corrían en su auxilio y los artilleros corrían para apoyar al gitano. Dieciséis meses de ira y resentimiento mutuo, unos por vigilar a la intemperie durante tantos meses en condiciones ínfimas y otros por ser vigilados en esas mismas condiciones, estallaron de manera incontenible. La batalla campal fue controlada, unos minutos más tarde, por un comando de spahis, cuyo líder, desde la altura de su caballo, tomó la determinación de regresar a los negros a sus puestos y a los prisioneros rijosos a España. A España, donde Franco iba a internarlos en otro campo de prisioneros probablemente peor que Argelès-sur-Mer. Como si hubieran tenido todo a punto y nada más estuvieran esperando a que algo así pasara, subieron a todo el islote, incluidos los dos sefarditas, que eran ciudadanos franceses, al vagón de un tren que dos horas después ya se había puesto en marcha hacia la frontera. Los otros vagones del tren venían llenos de rijosos de otros campos, o de otras zonas del mismo Argelès-sur-Mer. Algunos llevaban ahí metidos más de una semana encerrados en los vagones del tren de

Franco, esto era lo que les había dicho un trío de desdichados que venían de Brams y que ya estaban en el vagón cuando los artilleros, dolidos todavía por la golpiza, lo abordaron. Era un vagón penumbroso que tenía dos montones de paja y un par de aberturas estrechas, casi rajas, cerca del techo. Si en Francia la situación de los republicanos era desesperada, en España, con la represión franquista que les esperaba, no tenía remedio. El tren había avanzado unos cuarenta y cinco minutos cuando el gitano comenzó a patear una tabla que, según había detectado, venía floja. De improviso había dejado a un lado al hijo que venía cargando y se había recostado en el piso para golpear la tabla con todo el pie, con los talones y las plantas y toda la fuerza de sus piernas que era mucha. El hijo que había pateado el senegalés lloraba abrazado a su madre, lloraba porque lo habían pateado y también porque había oído de los peligros que los esperaban en España, un miedo que parecía absurdo porque ellos no habían peleado la guerra y ni siquiera, como los sefarditas, habían salido de Francia durante ese periodo, sin embargo el brazo de Franco ajustaba para todos, era un brazo incluyente y largo y con toda seguridad el incidente de haber vivido en un islote de republicanos era crimen suficiente para meterlos en ese tren y encerrarlos muchos años, o de por vida, en otra playa, en una bodega, en un galerón o en un zulo, en cualquier parte donde hubiera gente purgando el crimen de haber perdido la guerra. De todas formas, si era absurdo o no, nunca iban a averiguarlo, porque un minuto después uno de los republicanos se había tirado junto al gitano y había empezado también a patear la tabla con todo el pie, con el talón y la planta y todo el ruido que producían sus botas. Luego se habían sumado otros dos, los desdichados que llevaban días a bordo del vagón habían comenzado a patear de pie, con otro ángulo y quizá con menos fuerza, no tenían mucho espacio pero su esfuerzo aplicado más arriba en la misma tabla logró que se partiera y que, una patada del gitano después, saliera volando vía abajo. Un rayo de luz entró con violencia, disipó súbitamente la penumbra y cayó todo en el torso del gitano, que instintivamente reculó, por el golpe de sol y también porque escaparse de ahí se había convertido, de un instante a otro, en una posibilidad real y daba miedo, miedo a fallar, miedo a ser capturado, miedo a romperse los huesos en el intento. De un instante a otro se veía el campo y la grava que arropaba los rieles y bastaba un instante para brincar, gracias al hueco que habían abierto la libertad estaba a un salto de distancia. En todo esto y en muchas más cosas pensaban todos los que iban en ese vagón en cuanto decidieron, animados por el rayo de sol y por lo mucho de futuro que éste tenía, ponerse a patear las tablas que estaban junto al hueco que había abierto el gitano. En cosa de un minuto, *no más,* asegura Arcadi, ese grupo de prisioneros que llevaba dieciséis meses de internamiento y una guerra perdida a cuestas, había abierto a patadas un hueco por donde pasaba holgadamente una persona. La libertad estaba a un salto pero no era fácil darlo, del otro lado del hueco el campo corría a una velocidad difícil de calcular. El gitano, que a fin de cuentas era el dueño de la iniciativa, formó a sus hijos y empezó a decirles que brincaran con fuerza y de manera sesgada con respecto a la posición del tren y que al caer aflojaran el cuerpo y sin más empujó al primero y luego al otro y luego al que había pateado el guardia, que todavía lloraba, y al final a su mujer, y luego se arrojó él mismo, después de despedirse de sus vecinos de islote con un gesto feroz, de hombre que acababa de ganarse la libertad a patadas. Uno de los republicanos brincó inmediatamente después y seguido de él los dos desdichados. Cuando Arcadi brincó sintió que le había faltado impulso y que los vagones que venían detrás iban a golpearlo y esto lo hizo efectuar un movimiento complicado, una torsión, una brazada excesiva que buscaba alejarse del resto del tren que, de acuerdo con su perspectiva, iba a golpearlo. Tanto movimiento en el aire lo distrajo y no pudo medir bien el trecho, el tranco, que lo separaba del piso, y antes de que pudiera percatarse de que ya estaba muy cerca de la tierra dio repentinamente con ella, un golpe seco que acabó en el acto, sin dar lugar a resonancias ni a nada más que no fuera la oscuridad y el silencio haciéndose cargo de su cuerpo.

Aun cuando todas las oficinas de gobierno y la mayor parte de las embajadas habían dejado París para trasladarse a la zona no ocupada, la legación mexicana seguía despachando en sus oficinas de la Rue Longchamp. Rodríguez quería permanecer ahí cuanto fuera posible, el contacto con los grupos republicanos iba a perderse en cuanto abandonaran la capital y esto era grave porque cada semana representaba la documentación de cerca de 2.500 personas. A esta documentación masiva se había sumado la petición de 56 ciudadanos mexicanos que tenían propiedades en París, cuya ubicación podía resultar atractiva para que los alemanes montaran alguna de sus numerosas oficinas. Al momento de llegar la petición, el ejército alemán ya había dado aviso a diez propietarios mexicanos de que iba a expropiarles sus casas. Luis Rodríguez había ido a plantarse a las oficinas de la autoridad alemana y había sido recibido con prontitud, con deferencia incluso, pero también había detectado que a los expropiadores no les corría ninguna prisa y que si se esperaba a que ellos actuaran esas diez propiedades, y a saber cuántas más, acabarían llenas de soldados y de burócratas alemanes. De manera que regresó a su legación y con la ayuda de sus subordinados hizo unos carteles donde podía leerse: Este inmueble no puede ser expropiado. Se encuentra bajo la protección del gobierno de México. Esa misma tarde, con los carteles bajo el brazo, acompañado de Leduc, su secretario, fue visitando cada una de las casas en peligro y colocando, en el lugar más prominente de la fachada, el mensaje de su legación. En una de estas casas un sexteto de alemanes ya se había repartido las habitaciones y vociferaba en su lengua cosas que no entendían las dos propietarias que se hallaban arrinconadas en el recibidor, en un impasse que don Luis y su secretario llegaron a desactivar. Las mujeres se apellidaban Amezcua y eran dos hermanas bien entradas en la cincuentena, con una fortuna cuyo origen estaba cifrado en los cargos públicos que, durante el régimen de Porfirio Díaz, había ocupado el padre de las dos. Nada más ver la cara que tenían el embajador comprendió lo que ahí estaba sucediendo, mostró sus credenciales y apenas empezaba a explicar las inmunidades que tenía esa residencia cuando un individuo del sexteto, que era parte del cuerpo diplomático destacado en Francia antes de la guerra, reconoció al secretario Leduc y lo saludó, y alguna referencia hizo con respecto a un cóctel que habían compartido en la residencia del embajador de Estados Unidos. Probablemente gracias a ese intercambio de palabras amistosas las Amezcua recuperaron su casa y la legación mexicana anotó otro logro en su apretado plan de actividades.

Leduc era una celebridad en la vida diplomática parisina. Las embajadas de algunos países lo invitaban para verlo ejecutar su acto excéntrico, igual que había otras que, para no diezmar sus piezas de cristalería, preferían no invitarlo. El acto de Leduc, que al principio era ejecutado con discreción y meses más tarde convocaba un corrillo de entusiastas, consistía en coger una copa, beberse el contenido mientras conversaba con uno u otro diplomático y al final, con la misma naturalidad con que había bebido, sin perder el hilo de la conversación que sostenía, darle un mordisco a la copa, y luego otros hasta que se la comía completa. La señora MacArthur, esposa del embajador de los Estados Unidos, había sido una de las primeras en presenciar el acto de Leduc, hablaba con él de alguna fruslería, *small talking* para decir lo que hablaban en la lengua en que lo hacían, cuando el diplomático mexicano ejecutó ese controvertido acto que la señora embajadora halló descortés, por decir lo menos, *hair raising* para decirlo como ella lo dijo. A partir de entonces la señora MacArthur se había alineado con las embajadas que preferían no tenerlo entre sus huéspedes. Pero alguna vez, en cierta celebración muy comprometida, se vio obligada a invitarlo, no sin antes tomar la precaución de pedirle al jefe de protocolo que hablara con el señor Leduc para sugerirle, de una manera diplomática e inequívocamente firme, que se abstuviera de ejecutar su acto durante el cóctel. Leduc había asistido con la intención de acatar la sugerencia, el temor que su acto producía en la embajadora le parecía bastante divertido. En la cima de aquella celebración, en el caso de que esos festejos letárgicos puedan tener un clímax, la señora MacArthur había acudido a saludar a Leduc y, animada por unas copas de más, en un plan provocador inexplicable, le había preguntado, en un tono de voz demasiado alto que capturó la atención de los que estaban cerca, entre ellos el alemán que meses después intentaría expropiar la casa de las Amezcua: ¿qué, nuestro amigo no va a comer vidrio hoy? Y después del disparate, para consolidarlo, había llevado su provocación al extremo extendiéndole una copa vacía. La escena tenía gracia y algo de descortesía, y también había algo bochornoso en el desafío. Todos los asistentes a esa fiesta estaban al tanto de la sugerencia que se le había hecho al diplomático, y ahora se encontraban en suspenso, esperando su respuesta o su reacción. Leduc había rechazado amablemente la copa, argumentando que sí tenía antojo de un poco de vidrio pero que prefería buscárselo él mismo y, dicho esto, se había trepado de un brinco a la mesa larga donde descansaban las bandejas con canapés y había cogido, de la lámpara que colgaba del techo, una pieza alargada de vidrio que comenzó a masticar en lo que brincaba al suelo y se retiraba y le decía a la señora MacArthur: buenas noches *and thanks for the wine and for the glass.*

El embajador Rodríguez y Leduc terminaron de asegurar las propiedades de los mexicanos cuando ya había oscurecido. De camino a la legación, al doblar una esquina, habían notado que un hombre vestido de oscuro y sombrero los seguía. Era el mismo que Rodríguez había percibido, con alguna frecuencia, en las ocasiones en que conversaba con refugiados en la calle, o en un restaurante, o afuera de su casa incluso. Todo parecía indicar que se trataba de uno de los hombres que Franco había mandado a Francia para que capturaran republicanos y los regresaran a España. Éste nada más los seguía, era un espía inocuo que además no parecía muy preocupado en ocultarse. Llegando a la Rue Longchamp notaron que el espía se quedaba a una distancia prudente mientras ellos entraban al edificio. Al día siguiente efectuarían una operación delicada de la que nadie tenía conocimiento, y era por esto que el espía en la esquina, por inocuo que fuera, empezaba a producirles cierta preocupación. Mientras ordenaban papeles y terminaban de atar los cabos en la agenda del día siguiente, Leduc echaba vistazos por la ventana, espiaba al espía oculto detrás de la cortina. De todas formas no quedaban opciones, con espía o sin él iban a tener que articular la huida del doctor Negrín, el primer ministro de la república española, que había decidido aceptar el ofrecimiento de ayuda diplomática que le había hecho personalmente el general Cárdenas. Las amenazas y las persecuciones de que era objeto el doctor obligaban a Rodríguez y a sus colaboradores a trabajar con una mezcla de velocidad y precisión que producía vértigo. En una situación similar a la de Negrín se encontraba el presidente Azaña, pero, a diferencia de éste, él no se había dejado persuadir por el ofrecimiento del presidente mexicano, sin embargo el embajador, siguiendo las instrucciones de Cárdenas, mantenía un contacto estrecho con él, lo visitaba con frecuencia y cooperaba en lo que podía para hacerle el exilio, que además lo había pescado enfermo, más llevadero. El día que Leduc y el embajador subieron a Negrín y a sus colaboradores en un barco que los llevaría, salvos y sanos, a Inglaterra, tuvo lugar un encuentro inquietante. La huida de Negrín había estado llena de imprevistos y a punto de fracasar en más de una ocasión por la cantidad de espías y de agentes que lo vigilaban a él, más los que espiaban a los diplomáticos mexicanos; un intricado operativo en el puerto de Burdeos que había tenido como base el Matelot Savant, un bar propiedad de un ex marino que era rojo hasta las jarcias, según decía él mismo con un orgullo desaforado. Para marcar el final de aquella misión que les había proporcionado más de un susto, el dueño del bar, naturalmente conocido como el matelot, invitó a un trago celebratorio, por el placer, así lo dijo, de haber conspirado juntos. La concurrencia del bar se componía básicamente de bebedores, era un sitio oscuro y lleno de humo, ahí se juntaban los hombres de mar que habían atracado sus barcos en el puerto, jugaban a las cartas, se contaban historias, un naufragio a medio Atlántico del que habían salido a nado, un tiburón furioso que había sido controlado de un sólido puñetazo entre los ojos, la experiencia bárbara de haber sido tragado por una ballena y tres días más tarde escupido en una isla sola de palmera única. Leduc y el embajador Rodríguez estuvieron ahí veinte minutos, no más, el camino a París era largo y podía tener nuevas complicaciones, el matelot les había contado, mientras bebían su whisky celebratorio, que en las últimas horas habían aumentado los retenes en la carretera y que se esperaba que la situación se pusiera imposible en la medida en que fuera consolidándose la ocupación del ejército alemán. Esto decía el matelot mientras sus colegas jugaban cartas y gritaban hazañas desmesuradas, un ritual de marinos, una calistenia emocional que en unas horas los tendría listos para liarse a golpes, o para irse de putas, o para irse ciegos de ron dando tumbos a la litera de su camarote, cualquiera de estos finales de noche en tierra firme, o los tres juntos para los más desmesurados. Terminaban su trago celebratorio y el matelot terminaba de informarles sobre los avances de la ocupación, cuando Leduc sintió en el hombro una mano que no apretaba pero tampoco había nada más caído, sentía algo de la presión de esa tenaza suave y quien la estaba ejerciendo en su hombro pretendía que así fuera, un apretón suave que provenía de una tenaza firme, que podía apretar más si era necesario. Leduc volteó rápido, casi brincó en su asiento y su alteración hizo voltear a Rodríguez y al matelot hacia el dueño de la tenaza. Los tres vieron, opacado por la neblina espesa que producía la combustión masiva de tabaco, el mismo rostro, pero sólo Leduc, que sentía la mano en su hombro, reconoció los rasgos de ese diplomático alemán que le había salido al paso la tarde anterior, en casa de las Amezcua, y que respondía al nombre de Hans. Antes de que pudiera decir nada, el diplomático alemán le dijo: ¿y ahora nuestro amigo va a comerse el vaso? Luego sonrió y se fue.

Unos días después de que zarpara el doctor Negrín, la legación mexicana tuvo que dejar París y el edificio de la Rue Longchamp y trasladarse, igual que las demás embajadas, a algún sitio cercano a Vichy, donde había montado sus oficinas el gobierno del mariscal Pétain. Pero antes, en lo que conseguían establecerse, Rodríguez y sus diplomáticos sostuvieron durante semanas una legación itinerante, del tingo al tango, brincando de la zona ocupada a la no ocupada, según su lista de prioridades donde figuraba la evacuación de grupos aleatorios de refugiados, la asistencia personal a los Azaña y las negociaciones con las compañías navieras o con dueños de un solo barco. La legación brincaba completa, con máquinas de escribir y maletas llenas de documentos, de St. Jean-de-Luz a Biarritz y de Montauban a Vichy y de ahí a Marsella, donde un grupo de agentes italiano sustituían las funciones de espionaje de los agentes de Franco. Los automóviles de la legación itinerante llevaban una cauda de agentes que iban jalando por todo el sur de Francia. A la animadversión que sentía Franco por el embajador mexicano, se habían sumado las sospechas de la Gestapo, tan desmedidas como infundadas, de que Rodríguez mandaba rojos a México para que desde ahí se esparciera el comunismo por toda América y en unos cuantos años aquel continente en masa estuviera en posibilidades de declararle la guerra al Reich.

El día que abandonaron París el embajador levantó un acta de la situación de los republicanos españoles que todavía permanecían en Francia. 30.000 se habían alistado como voluntarios en el ejército francés, 50.000 habían ingresado como trabajadores de esas empresas diversas que manejaban los entrepreneurs locales, 40.000 seguían recluidos en campos de prisioneros, 10.000 habían caído en alguno de los asilos de inválidos, otros 50.000 hacían quehaceres domésticos y pequeños trabajos para ganarse unos francos, 30.000 eran beneficiarios de los organismos de republicanos españoles en el exilio, 10.000 sobrevivían con sus propios recursos, otros 50.000 vivían en la indigencia y 30.000 andaban por ahí sin que se supiera muy bien qué hacían. El total, según el acta de Rodríguez, era de 300.000.

En la misma época en que se planeaba la huida de Negrín, irrumpía en la legación de la Rue Longchamp un individuo que había sido agente de compras de armamento de la república, un cargo tan turbio como cardinal que le permitía hasta entonces mantener sus oficinas en París y también gozar de una importancia que, a medida que se aproximaban los alemanes y los espías de Franco, se iba convirtiendo en un lastre. El ingeniero José Cabeza Pratt, con ese título y ese nombre llegaba siempre, había ido un par de veces a hablar con el embajador, con el ánimo de que el gobierno mexicano lo socorriera en caso de caer en las fauces del enemigo, así decía el ingeniero que más adelante pondría en vilo la estancia de Rodríguez y de sus diplomáticos en la zona no ocupada. La lista de logros del ingeniero Cabeza era, además de extensa, sorprendente: había comprado maquinaria en Checoslovaquia, morteros en Bélgica, municiones en Yugoslavia, tanques en Noruega, comestibles en Canadá, cañones en Grecia, vehículos terrestres en Portugal, aeroplanos en Rusia, aparatos científicos en Suiza, sublimados en Austria, lanas en Chile y explosivos ahí mismo en Francia. El ingeniero había logrado escapar milagrosamente de un comando de la Gestapo que había irrumpido en sus oficinas en París, cuando ya la legación mexicana despachaba en Biarritz. Esperando a que los vientos cambiaran de dirección había aguantado más de la cuenta en la capital, abandonado por todos menos por su secretaria, que también era su mujer y que sin ninguna intención había terminado salvándole la vida, si es que puede sostenerse que no había ninguna intención cuando la intención era justamente la contraria, la de hundir a su jefe, que era también su marido, denunciándolo a las autoridades de la Gestapo. El episodio es una simpleza, resulta que la mujer, cansada de ese marido que la trataba como secretaria, se había enredado con un oficial alemán, un incidente de bar donde dos empujados por una fila de tragos terminan en la cama inaugurando algo, una noche o varias o una relación alterna, como fue el caso de ellos dos, que estaban casados cada uno por su parte. La mujer se quejaba de su marido cada vez que compartía la cama con el oficial alemán y éste había terminado por plantear una solución que era quitar de en medio a José Cabeza, que de por sí encabezaba la lista de los más buscados por los agentes de Franco y por otra parte le obstruía el camino a las caderas de esa mujer que lo tenía bastante enamorado. La cosa es que las denuncias en esa etapa incipiente de la ocupación tenían que convertirse de inmediato en una detención, en un arresto, porque si se denunciaba en falso entonces la Gestapo arremetía contra quien había hecho la denuncia, esto lo sabía la mujer y también el oficial alemán, que ya había generado alguna desconfianza entre sus superiores por su conducta extramarital chiflada y tornadiza. La mujer, antes de dar el paso en falso que al final dio, había puesto en un cajón del escritorio de su marido una carpeta con documentos inculpatorios suficientes para que lo regresaran esposado a España. Luego había esperado a que Cabeza entrara a su oficina, venía cabeza en alto de un negocio que acababa de consolidar en un restaurante, para marcar el teléfono de su amante, que a su vez esperaba en el piso de arriba junto con un comando. El ingeniero entró en su oficina y cerró la puerta que dos minutos más tarde abriría de una patada el oficial tornadizo. La cerradura voló en dos pedazos, uno de éstos cayó, quién sabe con qué significado, en el escritorio de secretaria de la esposa, y lo que se vio a continuación, que fue la oficina vacía sin rastros del ingeniero, puso en jaque esa relación que había empezado en un bar, y de pésimo humor al responsable del comando que, luego de una revisión fugaz a esa oficina vacía que no tenía ni ventanas ni ruta de escape alguna, aprehendió a la mujer que había denunciado en falso. No existen ni testimonios ni documentos que permitan adivinar el destino de aquella pareja de amantes desgraciados. En cambio la volatilización del ingeniero tiene una explicación muy simple: nada más cerrando la puerta de su oficina había brincado dentro de un armario con la intención de esconder el dinero que le había generado el negocio que acababa de efectuar, estaba acomodando los billetes detrás de un entrepaño cuando el golpe en la puerta de su oficina le provocó el impulso de encerrarse en el armario. Desde ahí oyó cómo aprehendían a su secretaria, mientras le recriminaban al oficial tornadizo las locuras que lo orillaba a hacer su amante que, hasta entonces vino a enterarse, era su propia esposa. El ingeniero simplemente había salido después de la trifulca y se había ocultado durante dos semanas en los sitios más diversos hasta que tuvo la ocurrencia de viajar a Biarritz a pedirle ayuda al embajador Rodríguez. Tocó en la puerta de la suite que ocupaba la legación entonces, dos toquecitos discretos, tristones, todavía venía rumiando la información de su esposa que había llegado hasta sus oídos en alemán, lengua que por sus negocios mundiales entendía perfectamente. Rodríguez trabajaba solo en la suite, tenía un mapa de Francia extendido sobre el escritorio y marcaba con un círculo rojo los sitios donde tenían que efectuar tal diligencia y a un lado escribía, con tinta azul, la clase de diligencia que era y el día y la hora en que calculaba llevarla a cabo; por ejemplo, junto al círculo de Trabeaux, una población pequeña situada entre Biarritz y Burdeos, dice: refugiados con mujer y dos niños o más, 21 de junio, 9.00. Ese mapa, que sigue hasta hoy en el archivo de la Rue Longchamp, era en realidad su agenda donde iba distribuyendo y priorizando su abultado quehacer. Aunque era mediodía trabajaba con las cortinas cerradas, a la luz de una lamparita que arrojaba una luz atenuada por la nube que habían ido formando, a lo largo de la mañana, una veintena de cigarrillos. En la planta baja, en la zona del restaurante, los secretarios de la legación atendían una larga fila de españoles que salía del hotel y que colmaba buena parte de la acera. Esa fila había servido de orientación al ingeniero que, como José Cabeza por su casa, había llegado hasta la puerta del embajador gracias a una negociación sagaz al nivel de las camareras. Rodríguez abrió la puerta y casi brincó del susto cuando vio a Cabeza Pratt, greñudo, barbón y con un traje claro dentro del cual era evidente que había trasegado y dormido sin tregua durante muchos días. El ingeniero entró y dejó en el suelo la maleta que cargaba, una pieza voluminosa y oscura que daba la impresión de ir arrastrando aunque estuviera separada del piso. Antes de sentarse a conversar aceptó la invitación del embajador para que hiciera uso de la ducha y del jabón y de lo que hiciera falta para restablecerle la facha de agente de compras de la república. Salió limpio, afeitado y retocado con unas palmadas de loción, pero metido de nueva cuenta entre las arrugas y los lamparones de su traje, y ésa era la prueba, pensó Rodríguez al verlo, de que en esa maleta exagerada no había ropa sino cosas que con toda probabilidad le complicarían la vida. Necesito que me guarde esta maleta, me viene quemando las manos, dijo el ingeniero recién sentado en el borde de la cama, mirando a distancia eso que le quemaba. El embajador sirvió dos tragos de whisky y escuchó con interés el relato de la volatilización por la cual se había escabullido del comando de la Gestapo y luego, mientras reponía los tragos, Cabeza encendió un habano de La Habana que, además de espesar inmediatamente la nube de los cigarrillos, dio pie para que contara esa intimidad lastimosa de la que se había enterado en otra lengua y para la narración tampoco alegre de las que había pasado para llegar desde París hasta esa suite cargando la maleta exagerada, pues París y Biarritz se encontraban dentro de la zona ocupada y durante varios días había tenido que avanzar agachado, si no es que arrastrándose entre arbustos y yerbajos, para evitar ser atrapado por el enemigo, de ahí que me presente en estas trazas frente a usted, señor embajador, dijo a manera de disculpa. Rodríguez le advirtió que el hotel era visitado frecuentemente por oficiales alemanes y vigilado todo el tiempo por espías de Franco y le dijo, con impecable diplomacia, que con gusto le guardaba unos días la maleta pero que debía abandonar cuanto antes y con toda discreción el hotel, porque su presencia ahí comprometía gravemente su misión.

Una semana más tarde el ingeniero Cabeza Pratt se las arregló para que Rodríguez fuera a encontrarlo al atardecer en un punto específico de la playa de St. Jean-de-Luz. El embajador cubrió en taxi la distancia que había entre Biarritz y esa playa. A pesar de que Cabeza le parecía un elemento sospechoso, no quería que los agentes de Franco le cayeran encima por su culpa, así que hizo todo lo que durante esas semanas había aprendido para despistar a quien pudiera seguirlo, bajarse antes del taxi, dar rodeos por callejuelas, exponerse lo mínimo en áreas despejadas, agazaparse detrás de una barda o en un portal para ver qué percibía, cosas básicas, aparentemente nimias, que aprenden los que son espiados, o los que creen que lo son, basta fijarse, aguzar el oído, no distraerse ni un instante. Así llegó Rodríguez al punto de la cita y no tuvo que otear mucho para dar con la figura lamparoneada del ingeniero que, protegido por el casco de una barca en tierra, miraba con intensidad el horizonte del mar, el ultramar hacia donde muy pronto se iría, no sin antes pedirle a su amigo el embajador que le guardara la maleta el mayor tiempo posible y que le hiciera llegar cinco mil dólares, que sacó ahí mismo del bolsillo, a esa mujer que lo había traicionado y que de todas formas seguía amando. Todo eso lo dijo otra vez greñudo, otra vez barbón, otra vez altamente sospechoso. Rodríguez prometió que guardaría la maleta lo más que pudiera, después de tanta peripecia algo de afecto por Cabeza Pratt sentía.

Dos meses más tarde el ingeniero Cabeza Pratt había refundado su oficina en La Habana, había restablecido sus contactos mundiales y conseguido una concesión del gobierno cubano para importar la maquinaria agrícola que pondría en marcha otra más de las iniciativas para volver productivo el campo de la isla; un reto enorme y recurrente que obviaba esta entrelínea insalvable: maquinaria agrícola aparte, para volver productivo al campo cubano primero había que volver productivos a los cubanos. Al ingeniero le tenía sin cuidado lo que se hiciera con la maquinaria que había importado, a base de contactos clandestinos, de la Unión Soviética, el dineral que le había generado la transacción sería invertido en nuevos proyectos lejos del mundo de la compra-venta, que lo tenía aburrido. Ignoraba, o quizá lo sabía todo desde entonces, que esas máquinas que habían sido introducidas al país como piezas de ingeniería finlandesa serían el preámbulo, la avanzada de los productos soviéticos que invadirían la isla años después.

Para 1950 Cabeza Pratt ya era dueño de un par de hoteles en La Habana, uno en Varadero y otro en Santiago, enclave lleno de ritmo donde estaban los mejores soneros y un equipo de béisbol, los Leones, cuya franquicia adquirió sin tener idea de que iba a convertirse en un fanático de ese deporte que entonces era una novedad para él.

Para el año de la revolución ya poseía también una fábrica destiladora de ron y un cañaveral de innumerables hectáreas entre La Habana y Cojimar. Su estatus de empresario extranjero prominente, más su colmillo infalible, lo llevaron a negociar con la jerarquía mayor de los rebeldes que habían tomado las riendas de la isla, a cambio de ceder unas cuantas propiedades y de una suma considerable de dólares que fue registrada como «ayuda para la revolución», el nuevo gobierno le permitió seguir haciendo negocios. En unos cuantos años, montado en el axioma de que el mejor negocio está donde nadie más tiene permiso para negociar, había triplicado su fortuna. Para 1965 ya era el príncipe de La Habana, tenía una mansión en Miramar con piscina volada sobre las olas y un ejército de mulatas que lo ayudaban a sobrellevar la traición de su esposa, que, a pesar de su lejanía en el tiempo y de ese ejército que lo tenía plenamente saciado, seguía quitándole alguna noche el sueño. Poco a poco Cabeza fue concentrándose en los dos negocios que más lo atraían, uno era los Leones de Santiago, que además de ser campeones de la liga cubana estaban en negociaciones para foguearse internacionalmente, y otro era el proyecto de efectuar un *scouting* para dar con los soneros más competentes de la isla. Este proyecto había nacido como idea o, siendo más rigurosos, en forma de un sueño que retuvo al despertar la mulata con quien dormía, que en el momento de abrir los ojos le dijo: soñé que íbamos tú y yo en avión buscando al sonero más grande del mundo. Aquella línea breve había pegado en el blanco, Cabeza recordaría durante muchos años la mañana tibia en que había sido dicha, la brisa que animaba las cortinas y la ola estruendosa que había reventado abajo en el mar como anunciando que Su Mulata acababa de parir una excelente idea. Que durmiera con una sola mujer a la que llamaba Su Mulata y que levantara una empresa sobre esa línea soñada eran síntomas de que Cabeza había vuelto a enamorarse, cosa normal y hasta deseable en un hombre de su edad, si no fuera porque meses después, en el calor del *scouting* por todos los pueblos de Cuba, Su Mulata se había vuelto también su secretaria. De la línea soñada brincó ese mismo día al Ministerio de Aviación y Guerra para pedirle en préstamo al comandante Zariñana una de sus naves con todo y tripulación. Luego hizo un viaje a Estados Unidos y, mientras su mujer adquiría el ropero completo de prendas que vestiría su secretaria en la siguiente temporada, el ingeniero compró un sofisticado equipo de grabación portátil. Un mes después de la línea soñada volaban los dos y su tripulación hacia El Cocotal, una hondonada con bohíos y corrales de chivas en la provincia de Matanzas, donde El Coyol Valdivia, ciego de ron y sin más quórum que la maleza, oficiaba sones de grande altura. Ahí mismo comenzó ese proyecto que no terminaría nunca, pero que lo mantendría entretenido el resto de su vida. El piloto aterrizó el avión donde pudo y Cabeza Pratt y Su Mulata, seguidos por dos cambujos forzudos que iban cargándolo todo, instalaron su equipo portátil para grabarle al Coyol una docena de sones en un par de cintas de carrete abierto que inaugurarían la serie de pilas de cintas que irían, cinta tras cinta, llenando el sótano de la casa de Miramar. Cabeza gozaba viendo a Su Mulata, la veía caminar, o acercarle el micrófono al cantante, o comportarse de manera displicente con los cambujos, y todo eso era combustible para la noche que venía, o para el momento en que buscaran estar solos, a bordo del avión o confundidos con la flora y con la fauna o detrás de algún bohío, cosas que eran habituales en la Mulata, que era de por sí fogosa, pero no en el ingeniero, que antes de conocerla había sido un hombre más bien frío y calculador y que ya para esas alturas de su vida andaba desatado, descosido por esa mulata a la que le zumbaban el mango y la malanga, y así viajaban por toda la isla coleccionando canciones que iban apilando en el sótano con la idea de producir una colección de discos titulada Los Sones de Cuba, que saldría al mercado presentada en colores cálidos y con una serie de portadas donde aparecería desde luego la Mulata rodeada de vegetación o provocativamente echada en un diván acariciando un tres cubano o erotizada por un par de maracones de Jamagüey con el mar de fondo, y aun cuando el proyecto de los sones duraría años e incluso no terminaría nunca, la Mulata, aprovechando su jurisdicción de secretaria esposa y en general de mandamás en los negocios del ingeniero, había ido adelantando en el asunto de las portadas y se había organizado estudios fotográficos en esta y aquella locación de arriba abajo por toda la isla, y a continuación, llena de un orgullo contagioso para el ingeniero, le había dado por exhibir las fotos que eran en rigor portadas de disco por venir en cualquier ocasión que se le presentara. Pero al ingeniero también le interesaban sus Leones de Santiago, que a partir de algunas contrataciones clave se habían encaramado en la tabla de posiciones del béisbol nacional. A la Mulata no le interesaba nada el deporte y sin embargo ya había logrado instituirse como la Reina de los Leones de Santiago, y aparecía en la portada del calendario anual que regalaba el club al principio de cada temporada. Salía descalza y envuelta en una piel de león, acariciando ardorosamente una botella de cerveza Atuey, que a la luz de esas caricias tremendamente connotadas terminaba siendo pura metáfora. En aquel calendario que colgaba en todas las cocinas de las casas cubanas quedó cifrado el principio del desastre, aunque en la historia personal de José Cabeza Pratt esa cifra había quedado marcada en el momento en que Su Mulata se había convertido en su secretaria, un error garrafal que cometía por segunda vez en su vida.

Buscando su internacionalización, los Leones de Santiago hicieron una gira por México que se repetiría año tras año de 1969 a 1975, año en que murió el general Franco. Aunque efectivamente se trataba de una gira internacional, puesto que los partidos se jugaban fuera de Cuba, también hay que decir que los tres equipos rivales eran muy inferiores y que los beisbolistas cubanos iban menos a jugar que a pasarlo bomba en los pueblos de Veracruz donde los idolatraban. Durante seis años, cada marzo, los Leones de Santiago recorrieron los campos que juntos, merced a la posición geográfica que ocupaban, formaban el Triángulo de Oro del béisbol regional. El Triángulo estaba estelarizado por los Cebús de Galatea, los Bisontes de Paso del Macho y los Hormigones de Calcahualco. El resultado de aquella liga que dotaba también de internacionalidad al Triángulo de Oro era siempre el mismo, Cebús, Bisontes y Hormigones eran invariablemente derrotados por el equipo visitante. El primer viaje, la gira de 1969, estuvo lleno de sorpresas para el ingeniero Cabeza. Orondo a más no poder aterrizó en el aeropuerto de Veracruz del brazo de Su Mulata, seguido por los veinte elementos que conformaban la escuadra internacional. En

Paso del Macho, que era el primer destino, sufrieron dos bajas antes del partido que le sirvieron al dueño del equipo para darse cuenta de que la advertencia que le había hecho el comandante Zariñana, y que él no había atendido por considerarla una gilipollez, había sido más que pertinente. No vaya a escapársele algún pelotero, le había dicho y, dicho y hecho, todavía no terminaban de instalarse en el hotel La Jaiba cuando Jardinero Izquierdo y Catcher ya habían corrido y desaparecido entre las brechas de un cañaveral. Ahí mismo en el vestíbulo, ante las miradas llenas de sorna de una tercia de aficionados jarochos que pedían autógrafos, el ingeniero había lanzado esa advertencia que le había dicho que dijera en caso necesario el comandante Zariñana: el gobierno revolucionario se hará cargo de las familias de aquellos que deserten. Esa frase, que sonó a cosa excéntrica para los jarochos, tenía para los peloteros de Santiago una profundidad espeluznante. El mensaje de Zariñana terminó con las deserciones, pero también sirvió para activar una deserción mayor que le partiría por segunda vez la vida al ingeniero. Los peloteros cambiaron la idea de escapar del régimen cubano por la de divertirse en grande, así que después de cada partido, jugaban dos contra cada equipo, armaban unas pachangas que ponían a castañetear las puntas del Triángulo de Oro del béisbol regional. Don José acababa de cumplir 79 años y ya no resistía las pachangas completas, así que se retiraba temprano a su habitación a dormitar mientras esperaba a Su Mulata, que sí tenía brío suficiente para cualquier tipo de festejo. La Mulata llegaba tarde pero llegaba, bailada y bebida y todavía fogosa y con ánimo de cumplirle a su marido que, cerca del amanecer, se encontraba en su mejor forma para gozar de esa mujer a la que le zumbaban el mango y la malanga. Fue en Calcahualco, después de la segunda victoria contra los Hormigones, cuando Su

Mulata no llegó a tiempo y don José, con la idea de apaciguarse, salió a fumar un habano al jardín del hotel La Campamocha, y mientras caminaba por ahí entre los anturios y las aves de paraíso tirando gruesas bocanadas de humo y dándole vuelo a su vena más filosofal, fue atraído por los gemidos de una sirena que provenían de una de las habitaciones. Lo que vio a través de la ventana era una obviedad para cualquiera menos para él: Su Mulata jugaba al *doble-play* con el *short-stop* y el jardinero central y lanzaba a la noche unos gemidos que su marido, y esto era lo que más lo había desconcertado, desconocía. José Cabeza llegó hecho talco a los juegos de Galatea, la tercera punta del Triángulo de Oro y ciudad donde había quedado de verse por primera vez con Arcadi. La madrugada anterior había rechazado los mimos de Su Mulata, que no obstante el *doble-play* que acababa de ejecutar había llegado entera y ganosa al lecho de su marido; él simplemente se había dado la vuelta en la cama, no sabía cómo plantear lo que había visto ni qué actitud tomar, de esa madrugada en adelante, ante esa deserción mayor que acababa de activarse. Con esta espina clavada se encontró con mi abuelo en los portales de Galatea aquel mediodía de 1969. Hecho talco, pero enderezado por su nivel de campeón empresarial de Cuba, se acodó en la barra de El Pelícano Agónico y, con su clavel rojo distintivo bien evidenciado en la solapa, bebió dos menjules al hilo mientras Arcadi llegaba a recogerlo en su Ford Falcon reluciente. Joan y yo los vimos llegar, esperábamos ansiosos la aparición del dueño de ese equipo de estrellas del que todo mundo hablaba, aunque a decir verdad quedamos decepcionados al ver que no lo acompañaba ni Barbarito Santos, primera base y jonronero natural, ni el Baby Varela, *short-stop* legendario y reciente verdugo emocional, esto no lo sabíamos, de ese señor elegante que nada más bajando del Falcon nos obsequió una pelota firmada por sus jugadores y un par de guantes que utilizaríamos todos los días y a todas horas, hasta llevarlos a un punto material impreciso entre la desintegración y la desaparición. La visita de José Cabeza Pratt fue una revelación para nosotros. Lo primero que llamó nuestra atención fue que ese cubano hablara en perfecto catalán e, inmediatamente después, que el tema de la conversación no fuera ni el béisbol, ni Cuba, ni La Portuguesa, sino la guerra que habían perdido los dos con sus secuelas en Francia. Durante esa visita sucedió algo que nos tuvo intrigados durante años y que luego olvidamos y que reapareció, en el momento más inesperado, treinta años después, cuando yo revisaba los papeles del embajador Rodríguez en el archivo de la Rue Longchamp. En determinado momento de aquella reunión reveladora, Arcadi abandonó el sofá y al cabo de unos minutos regresó con una maleta negra que guardaba celosamente en un rincón de su armario, debajo de los estantes donde dormían sus prótesis, desde que teníamos memoria. Era una pieza oscura, grande y voluminosa, que nadie podía tocar porque pertenecía a un señor muy importante que algún día vendría por ella, decía mi abuela tratando de justificar la furia que se adueñaba de Arcadi cada vez que alguien osaba acercarse al objeto que custodiaba. Alguna vez una criada, con la intención de limpiar a fondo ese armario, había movido la maleta de su lugar y eso le había costado que la despidieran. Conscientes de la importancia arcana de esa pieza, que no sólo tenía poder sobre el humor de Arcadi sino también sobre el destino de la servidumbre de la casa, la observábamos, procurando no tocarla, cada vez que teníamos la ocasión. Mirábamos detenidamente los broches, dos chapas de latón cerradas con llave más un cincho asegurado en los extremos por un candado. Cada vez que la contemplábamos, o cuando años más tarde nos acordábamos de ella, entrábamos en la misma discusión, un desacuerdo que tenía como punto de partida el peso descomunal de la maleta que más de una vez corrimos el riesgo de comprobar, la cogíamos entre los dos de la manija y no lográbamos moverla ni un milímetro. Basados en su peso, y en los nervios que le producía a Arcadi, y en una serie de golpecitos con que auscultamos un día su interior, Joan dictaminó que contenía lingotes de oro y yo me incliné por un lote de piezas de armamento, pistolas, granadas, un par de morteros. De la base de la manija colgaba un rectángulo de piel que decía: Valija Diplomática, Legación de México en Francia. Eso era todo lo que podía saberse de esa maleta cuyo contenido desconocía hasta el mismo Arcadi, según decía mi abuela porque a Arcadi ese asunto no podía ni mencionársele. De manera que cuando lo vimos venir cargando, casi arrastrando, la maleta misteriosa, comprendimos que ese hombre amable que poseía el mejor equipo de béisbol de que teníamos conocimiento era también el señor muy importante que por fin llegaba a recoger su maleta monumental. A pesar de que sabíamos que Arcadi iba a enfurecerse, como en efecto pasó, le preguntamos al señor por el contenido de su maleta, y su respuesta nos hizo pensar que los dos podíamos tener razón: cosas de mayores, dijo, y puso su mano sobre una de las chapas de latón.

Al final de aquella primera visita a La Portuguesa el ingeniero obsequió a mi abuela un calendario de los Leones para que decorara su cocina, hay uno en cada cocina de Cuba, le dijo, seguramente para dotar de un aura doméstica a esa cubana de fuego que acariciaba, sin viso alguno de domesticidad, la botella de cerveza Atuey. Mi abuela, por si acaso no era verdad lo que había dicho el ingeniero, colgó el calendario detrás de la puerta de la alacena. A partir de entonces cada diciembre recibíamos por correo el calendario de los Leones del año siguiente, siempre con la misma mujer, siempre descalza y con la piel de león encima y siempre adoptando poses distintas, novedosas, que terminaban siendo muy parecidas a las anteriores, una rodilla ligeramente más flexionada, un poco más o menos de pasión por la botella, el pie derecho más caído o más plantado, diferencias nimias, inexistentes si no se miraba a la mulata con bastante atención. Pero el punto relevante de aquel calendario anual era que en las líneas de ese cuerpo exuberante podía leerse el paso del tiempo, se trataba de un valor cronológico involuntario que venía añadido a la fotografía de la reina de los Leones. Cada vez que se terminaban las hojas del calendario, cada enero, llegaba un ejemplar con las doce hojas nuevas del año que empezaba, el ciclo arrancaba otra vez, aparentemente igual, pero con un año más que venía despiadadamente registrado en el cuerpo de la mulata, que ciclo tras ciclo llegaba de Cuba más ancha y menos espectacular. Ya para 1975 el tiempo se había abultado de manera muy visible en algunas partes del cuerpo de la mulata. Ese mismo año, en diciembre, unos días después de que muriera el general Franco, el ingeniero José Cabeza se embarcó para España. Voló de La Habana al puerto de Veracruz y de ahí, junto con su escuadra internacional de beisbolistas, abordó la nave Danubio I, que atracaría quince días más tarde en Vigo. Arcadi comió con él y luego bebieron menjules hasta que zarpó el barco. Aunque su regreso a España era un sueño largamente acariciado, el ingeniero iba tristón, Su Mulata, que también era su esposa y secretaria, le había pedido el divorcio para casarse con el Jungla Ledezma, catcher de los Cebús de Galatea. La comida con Arcadi era entre otras cosas para pedirle que le entregara un dinero, que sacó ahí mismo del bolsillo, a esa mujer que aunque lo había traicionado seguía amando; de todas formas, cuando muera, el Estado va a quedarse con casi todo, dijo. Arcadi cumplió con su encargo esa misma noche, estaba perfectamente al tanto de que la cubana iba a casarse con el Jungla para quedarse en México, en Galatea se sabía todo. El ingeniero zarpó con sus Leones el 6 de diciembre de 1975, tenía 86 años cumplidos y el proyecto de exportar el béisbol a España, de esa forma pensaba reintegrarse a la vida de su país, al que no había vuelto durante treinta y seis años. Ya había establecido contacto con varios empresarios, su plan era hacer cuatro fechas de exhibición, cuatro partidos amistosos contra un equipo marroquí, dos en Madrid, uno en Barcelona y otro en Girona. El proyecto estaba, como todos los suyos, destinado a prosperar, tenía un plan de inserción impecable que de haberse llevado a cabo hoy en España el béisbol sería un deporte muy importante. Pero sucede que a mitad de la travesía el ingeniero Cabeza Pratt desapareció del barco y del mundo, nunca se supo si cayó por la borda o si se volatilizó como lo hiciera muchos años antes, cuando escapara en París de aquel escuadrón de la Gestapo. Los Leones regresaron a Cuba en cuanto tocaron España, el entrenador había asumido la responsabilidad del equipo y los había regresado a la isla, con alguna de las advertencias del comandante Zariñana zumbándole en la cabeza.

La Mulata se adaptó rápidamente a la vida en Galatea, hacía el mismo calor que en Cuba y ella pasaba por veracruzana sin ningún esfuerzo, además su vida social era, cuando menos en el flanco deportivo, una réplica de su vida anterior. El Jungla, que no veía más allá de su careta de catcher, la instituyó inmediatamente como reina de los Cebús y al año siguiente el equipo ya había importado la tradición de exhibirla en su calendario y a partir de 1976 el calendario de los Leones fue sustituido por el de los Cebús en la puerta de la alacena de mi abuela. Por otra parte el contacto con el equipo cubano, ya sin dueño que los internacionalizara, se había perdido, cosa que fue una tragedia porque a partir de entonces el único béisbol que podíamos ver era el de los equipos del Triángulo de Oro, que sin el acicate internacional que los despabilaba cada año, se volvieron ahuevados y complacientes. La Mulata siguió haciendo de las suyas, se decía que no había cebú que no hubiera gozado de su amor fogoso, y luego su grupo social de amantes fue expandiéndose hasta que, cuando menos en el imaginario de la región, tan inflamado como la pasión inagotable de la Mulata, no había habitante de Galatea que no hubiera entrado en esa carne de fuego.

El tiempo siguió aglutinándose en las líneas de aquel cuerpo. En la edición de 1979 (yo ya no vivía en La Portuguesa pero mi abuela seguía recibiendo su calendario anual), podía verse a la Mulata básicamente en la misma posición, sosteniendo con todo el entusiasmo (era poco) que le quedaba una botella de cerveza Victoria. Iba descalza y su piel de león característica, que al pasar a los Cebús se había convertido en un peluche marrón (el color de los cebúes, supongo), se había metamorfoseado (a saber por qué carambola étnica) en un juego de penacho, pechera y taparrabo azteca que dejaban demasiadas partes desnudas desde donde podían verse caer cantidades incronometrables de tiempo. El Jungla Ledezma resistió un año el trote de su mujer, seguía apareciendo con ella en actos públicos y la llevaba en el autobús del equipo cuando jugaban de visitantes en Calcahualco o Paso del Macho; después de todo era la reina de los Cebús, el icono que adornaba todas las cocinas de Galatea. El hartazgo que le producía al Jungla su rol de cornudo fue invadiéndolo progresivamente, copándolo digamos. Comenzó a beber y en un abrir y cerrar de ojos pasó de catcher heroico a borracho perdido, abandonó el béisbol y estableció su axis mundi alrededor del guarapo que servían en la cantina La Portuguesa, sitio convenientemente lejos de sus fans, que le increpaban todo el tiempo su deserción, por cierto costosísima en términos de calidad de juego para los Cebús, que mientras el Jungla se mataba bebiendo guarapo se fueron deslizando hacia una liga menor, que no jugaba en campo sino en llano y cuyos contrincantes eran las Chicharras de Chocamán y las Nahuyacas Asesinas de Potrero Viejo. Yo ya no era un niño cuando el Jungla bebía en La Portuguesa, ya podía acodarme en el tablón que fungía de barra y observar a ese jugador que habíamos admirado mucho. Bebía solo y en silencio en un rincón, su imagen me fascinaba: en unos cuantos meses se había puesto gordo, tenía los ojos hinchados, casi ni los abría, no me impresionaba tanto su ruina como la velocidad con que se había arruinado, era una ruina propia del trópico, donde todo se deteriora deprisa, con una velocidad pasmosa.

Una semana después de que zarpara Cabeza Pratt con rumbo a su nueva vida en La Habana, Rodríguez recibió en su suite un aviso del Ministerio de Asuntos Exteriores. El mariscal Pétain lo recibiría el lunes siguiente en Vichy, en el hotel du Parc, de cuatro y media a cinco de la tarde. Un lapso demasiado breve para todo lo que debía negociar. Los últimos días, además de las negociaciones que efectuaba con un armador de barcos y con el dueño de un almacén en Casablanca, que podía alojar, llegado el momento, a quinientos refugiados mientras se lograba embarcarlos a México, había visitado dos veces al presidente Azaña, cuya salud seguía deteriorándose, entre otras cosas por el acoso de los agentes de Franco. Durante la segunda visita el embajador le había entregado dos mil francos que le mandaba de México su amigo el general Cárdenas. Azaña los había aceptado a regañadientes y con la condición de que ese dinero fuera tomado como un préstamo que regresaría en cuanto estuviera en posibilidades de hacerlo.

Rodríguez llegó con media hora de anticipación al hotel du Parc. Tuvo tiempo de sentarse en un rincón del bar a darle vueltas a la conversación decisiva que iba a sostener, mientras bebía café y fumaba y observaba el ir y venir de funcionarios que habían convertido ese hotel en un edificio de oficinas de gobierno. El mostrador donde los huéspedes durante años habían pedido la llave de su habitación, o un juego extra de toallas o habían liquidado su cuenta, estaba ocupado por dos oficiales del ejército que remitían a los visitantes a tal o cual oficina, que antes había sido una habitación donde se dormía y donde no había ni máquinas de escribir, ni carpetas, ni pilas de expedientes. Extraño bandazo habían sufrido los hoteles, pensaba Rodríguez mientras esperaba la hora, él mismo había contribuido con las carpetas y los expedientes de su legación y con sus secretarios a la metamorfosis de más de un hotel y quién sabía si en el futuro, cuando la guerra terminara y los alemanes se fueran, o acabaran de establecerse, y los franceses regresaran a su vida cotidiana, con vacaciones y fines de semana largos en hoteles, quién sabía si entonces esos edificios ocupados pudieran volver a ser sitios para nada más dormir, para nada más tener sexo con alguien, para nada más desayunar en la cama antes de salir a recorrer los sitios turísticos de la ciudad. El embajador pensaba en eso mientras bebía café y fumaba y veía a los dos oficiales del ejército detrás de ese mostrador que antes habría estado ocupado, y probablemente después lo estaría de nuevo, por una francesa amable que diría bien sûr, s'il vous plaît o désolée, con una sonrisa según el caso, y volvía a pensar en las suites que él mismo había ocupado, un rastro dejado por medio país que alguien con sensibilidad y buen olfato podría, de ser necesario, ir detectando, habitaciones donde se había fumado demasiado y se habían trazado un número inmanejable de misiones, renta de barcos, alquiler de trenes, reuniones clandestinas, acuerdos secretos, fugas, huidas, pactos innombrables, pistas inasequibles, cosas que debían ir quedándose impregnadas en las habitaciones y en los edificios, en todo esto pensaba el embajador mientras fumaba y bebía café y mataba el tiempo. A las cuatro y media en punto subió a la oficina del mariscal, era la número 418, y el guardia que custodiaba la puerta sabía de su visita y tras un breve intercambio de palabras lo dejó pasar. La habitación de Pétain, contra sus pronósticos, no había sufrido mayores cambios, seguía pareciendo una habitación de hotel, la cama estaba deshecha, quizá había dormido una siesta o quizá la camarera no había podido hacerla en la mañana, esas cosas pasaban en su propia suite cuando empezaba a trabajar muy temprano y su concentración no resistía el ir y venir de un cuerpo extraño que recogía objetos y sacudía sábanas y las más de las veces canturreaba a medio metro de donde él trataba de concentrarse. Una tos y un carraspeo en el baño y luego el ruido de una puerta que se abría de golpe precedieron a la aparición del mariscal, un viejo ancho de bigote blanco y ojos claros que cruzó la habitación acomodándose los tirantes y que pareció sorprenderse en cuanto vio que el embajador mexicano ya estaba ahí, de pie, esperándolo. Una sorpresa fingida, actuada, porque nadie tose y carraspea así cuando sabe que está solo, pensó Rodríguez, y en todo caso la actuación y la descortesía de recibirlo mientras se subía los tirantes le parecieron un mal signo, y cosa natural por otra parte, porque ese hombre era pieza clave del poder contra el que su legación batallaba incansablemente, acababa de ser embajador de Francia ante el gobierno de Franco y un mes después se había convertido en jefe de Estado sumiso, acomodaticio y de invaluable utilidad para los intereses alemanes. El mariscal saludó a Rodríguez a distancia mientras se acomodaba en un sillón y ordenaba a alguien por teléfono una jarra de café y un par de tazas. Siéntese, por favor, le dijo al embajador mientras se tallaba con toda la mano abierta una mejilla y hacía sonar la barba que le había crecido durante el día, un gesto de hartazgo o de incomodidad que se sumaba a los signos anteriores. Rodríguez advirtió que en toda la suite no había más asiento que el que ocupaba Pétain, y antes de que pudiera pensar en una alternativa el mariscal le señaló la orilla de la cama. La oficina de Pétain era demasiado parecida a una habitación de hotel, pensó el embajador cuando se acomodaba en la orilla de esa cama deshecha, y sin perder más segundos de la escasa media hora que tenía comenzó a tratar el tema del acoso que sufría el presidente Azaña y del interés que tenía el presidente Cárdenas en el bienestar de su amigo. Pétain le respondió con gesto de extrañeza, pasándose la misma mano abierta ahora por la otra mejilla, que no tenía conocimiento de ese acoso y que desde luego le parecía una canallada, así que de inmediato impartiría instrucciones para que el asunto se investigara y se resolviera, y luego desvió la conversación para preguntarle a Rodríguez qué clase de hombre era el general Cárdenas, asunto que, por la forma en que lo preguntó, debía tenerlo intrigado. Una camarera entró con el café, colocó la bandeja encima de la cama desecha y sirvió dos tazas. No había otro sitio donde colocarla y además la bandeja cubría algo, una mínima parte siquiera, del trabajo que no había podido hacerse. Cuando volvieron a estar solos el embajador expuso el tema que más le preocupaba, el tema que en realidad lo había hecho pelear con toda su energía esa media hora de atención del mariscal: empezó con un resumen del trabajo que efectuaba su legación, la documentación de republicanos y el rastreo de trenes y barcos para llevar a efecto la evacuación multitudinaria a México. El embajador explicó, aunque estaba seguro que Pétain se había hecho informar minuciosamente antes de concederle la cita, que México era un territorio de grandes dimensiones donde un país como Francia podía caber cuatro veces y que tenía nada más veinte millones de habitantes, de manera que podía recibir sin dificultad a ciento treinta mil refugiados, más o menos, según sus cálculos. El mariscal lo oía con atención mientras batía compulsivamente su café y hacía un tin tin molesto con la cucharilla: había puesto cuatro terrones de azúcar que, pensaba Rodríguez, necesitarían una buena cantidad de meneos y tintines suplementarios, una paradoja, un chiste que ese hombre tuviera tanto gusto por lo dulce. Lejos, quizá a la entrada del hotel o en la misma recepción que ocupaban los dos oficiales, sonó una trompeta militar, un llamado para algo, quizá para convocar a los mozos y a las camareras o para cambiar la guardia de las habitaciones donde había gente importante. La suite del mariscal daba a un patio interior, podía percibirse el rumor amplificado, esa especie de vacío con ruido que suelen producir esos espacios, frases indiscernibles, timbres de teléfonos, el tableteo de varias máquinas de escribir, una puerta que se cierra. El mariscal fumaba, o eso hacía pensar una caja de puros y un cenicero con ceniza y un cabo despanzurrado, y sin embargo el embajador no se animaba a encender el cigarrillo que se moría por fumar, no quería alterar con nada la precaria estabilidad que había alrededor de esa conversación, un ambiente cerrado donde no podía hacerse ni un movimiento extra, ni un gesto de más, ni dejarse mucho espacio entre una frase y otra sin que el mariscal, harto desde el principio, aprovechara el hueco para levantarse e irse pretextando cualquier cosa. Lo que negociaba Rodríguez no era fácil, quería conseguir un documento donde se comprometiera a proteger a los republicanos españoles mientras llegaban los barcos que iban a evacuarlos del territorio francés. No era fácil porque al mariscal los alemanes lo tenían del cuello y los franquistas operaban en Francia solapados por ellos, todo esto se sabía pero no podía tratarse; y menos en esa suite frente a ese hombre que solapaba a los que solapaban. En los documentos de Rodríguez está registrada una parte del diálogo que sostuvieron, la transcripción fue hecha de memoria, quizá ahí mismo, a las cinco y minutos, en el mismo bar donde había esperado que dieran las cuatro y media. La idea era, creo, informar al general Cárdenas, con toda precisión, de lo que ahí se había hablado, pero además consiguió, con ese extracto montado como diálogo de teatro, un perfil perfecto de Pétain, de esas veces en que unas cuantas palabras acaban revelando la personalidad de quien las dijo:

—Pétain: ¿Por qué esa noble intención de favorecer a gente indeseable?

—Rodríguez: Le suplico la interprete usted, señor mariscal, como un ferviente deseo de beneficiar y amparar a elementos que llevan nuestra sangre y nuestro espíritu.

—Pétain: ¿Y si les fallaran, como a todos, siendo como son renegados de sus costumbres y de sus ideas?

—Rodríguez: Habríamos ganado, en cualquier circunstancia, a grupos de trabajadores, capacitados como los que más para ayudarnos a explotar las riquezas naturales que poseemos.

—Pétain: Mucho corazón y escasa experiencia...

—Rodríguez: Ahora si cabe una pregunta, señor mariscal: ¿qué problema puede plantearse cuando mi patria quiere servir con toda lealtad a Francia, deseosa de aligerar la pesada carga que soporta sobre sus espaldas, emigrando al mayor número de refugiados hispanos?

A las cinco en punto el mariscal dio por terminada la reunión, volvió a prometer que haría lo posible para liberar del acoso al presidente Azaña y a su familia, y también prometió que instrumentaría la elaboración de un documento que protegiera a los emigrantes españoles. Luego se quedó en silencio mirándose algo en la manga de la camisa, como si al dar por terminada la reunión Rodríguez se hubiera esfumado. El embajador se puso de pie para liquidar esos segundos incómodos y se despidió de Pétain a distancia, como supuso que le gustaba, sin estrecharle la mano ni decir gran cosa. Salió del hotel con una sensación ambigua, había ganado el estira y afloja con el mariscal pero sentía que al resultado le había faltado contundencia, tenía el temor de que simplemente se olvidara todo lo que acababa de decirse, no quedaba ni un testigo, ni un apunte, nada que le recordara al mariscal sus compromisos.

De Biarritz la legación mexicana pasó a Montauban, una ciudad mucho más cercana al rejuego político de Vichy. Ocupó las suites 7, 9 y 11 del hotel Midi y puso a ondear banderas mexicanas en las terrazas de cada una. Rodríguez pretendía con esto extender los privilegios de territorialidad que en realidad operaban, de manera exclusiva, en el edificio de la Rue Longchamp en París, pero gracias a su astucia y a que la zona libre era un auténtico río revuelto, consiguió que el suelo de las habitaciones 7, 9 y 11 pasara por territorio mexicano, por zonas diplomáticas de privilegio donde no podían entrar, a menos que el embajador o su secretario lo autorizaran, ni siquiera los empleados del hotel. La iniciativa fue clave para los tiempos que se aproximaban. Una semana después de aquella conversación con el mariscal Pétain comenzaron las redadas periódicas de la Gestapo y de los agentes de Franco. De buenas a primeras un escuadrón de franquistas entraba a saco en una casa, o en un bar, o en un hotel y se llevaban a los refugiados españoles a un campo de prisioneros o, según su importancia, directamente a España. Para septiembre el acoso a los republicanos era intolerable, Rodríguez trataba de comunicarse todos los días, a todas horas, sin ningún resultado, con el mariscal Pétain. Cansado de no recibir respuesta se fue a plantar al hotel du Parc y ahí le informaron, uno de los oficiales que habían sustituido a las recepcionistas, que el mariscal ya no despachaba ahí y que no tenían idea de dónde podía encontrarlo. El río revuelto de la zona libre servía también para eso, era un agua de dos filos que lo mismo ayudaba que obraba en contra. Lo más que consiguió Rodríguez fue una cita con el ministro Pierre Laval, quien sin rodeos ni diplomacias que matizaran la crudeza de su mensaje le dijo, y así quedó escrito en el informe que envió ese mismo día el embajador al general Cárdenas: no guardo ninguna simpatía para los refugiados, a ellos debemos nuestras mayores desgracias, inclusive la de mantenerlos a pesar de la tragedia que vivimos. No me opondré, por lo mismo, a que se vayan, pero tampoco haré nada para asegurarlos entre nosotros. Rodríguez analizó la situación con sus secretarios y juntos llegaron a la conclusión de que los perjuicios que provocaba el incumplimiento del acuerdo que habían firmado podían matizarse aprovechando al máximo el margen de operación que les dejaba el río revuelto. Basados en esta conclusión, y amparados por la territorialidad difusa que habían establecido, comenzaron a dar asilo temporal a los refugiados perseguidos. Primero destinaron para éstos la habitación 7 y se distribuyeron el espacio de la 9 y la 11, procurando no mezclar las zonas de trabajo con las zonas de descanso y sueño. Pero según el número y la intensidad de las redadas algunos días había que meter perseguidos también en la 9, y cuando se trataba de republicanos sumamente distinguidos, como fue el caso del presidente Azaña y su mujer, tuvieron que echar mano también del espacio de la 11. En esas condiciones el trabajo de la legación se complicaba, porque además de los asilados, que eran un grupo heterogéneo de hombres, mujeres y niños hacinados que trataban de turnarse para usar la cama, las sillas y el retrete, estaba la multitud de refugiados, que en ese momento no eran perseguidos, pero que deseaban inscribirse en el programa de emigración que seguía ofreciendo el gobierno mexicano. Poco a poco y armados de mucha paciencia los diplomáticos mexicanos lograron establecer el equilibrio entre el flujo de asilados, el tumulto que quería inscribirse y sus horas de sueño, que era el último reducto de vida personal que les quedaba. Extendiendo esa territorialidad, que ya de por sí estaba bastante extendida, fueron ganando espacios, uno en el bar y otro en el restaurante, y así lograron aliviar un poco la sobrepoblación en las habitaciones. También consiguieron que una docena de familias francesas que simpatizaba con la causa les diera asilo a grupos de perseguidos.

Cuarenta días después de que se escapara del tren de Franco, Arcadi se apostó, oculto detrás de un montón de cascajo, frente al hotel Midi. Llevaba más de un mes errando por el sur de Francia y tenía la idea de abordar al embajador Rodríguez en cuanto lo viera. Al momento de escapar del tren había brincado mal y al caer se había golpeado la cabeza. Nada grave pero la conmoción le había durado lo suficiente para que les perdiera el rastro a sus colegas. Abrió los ojos cuando oscurecía, sobresaltado por el ruido de un tren que pasaba a toda velocidad por la vía. Lo primero que pensó fue que era el tren del que acababa de saltar y se pegó a la tierra y fue presa de la misma ansiedad que lo sobrecogía cuando trataba de protegerse de los bombardeos aéreos, se pegaba de tal manera que de milagro la tierra no cedía y se lo tragaba como él deseaba, con toda su voluntad, que lo hiciera, tierra trágame dice Arcadi que repetía con desesperación, una fórmula desde cierto ángulo inútil pero que lo aliviaba, tenía la sensación de estar haciendo algo durante esos momentos en que nada podía hacerse, formulaba esa petición para no dejarse matar sin haber intervenido, sin meter las manos o siquiera una frase o una palabra. Casi de inmediato descubrió que se trataba de otro tren, era pleno día cuando había brincado, y mirando por encima de su ansiedad pudo ver que los vagones llevaban ventanas y que el perfil fugaz de los que viajaban no parecía perfil de prisioneros. El tren fue alejándose hasta que desapareció, Arcadi se puso de pie y luego de una reflexión mínima, muy subordinada a los repiqueteos de su instinto de supervivencia, comenzó a caminar hacia donde supuso que había que hacerlo, en dirección contraria de las vías, sin tirar hacia Argelès-sur-Mer y sin acercarse demasiado a la frontera española. Así comenzó a caminar hacia occidente, el único punto cardinal que le quedaba, hacia la orilla atlántica de Francia, hacia México si entraban en juego el horizonte y el destino. Caminó toda la noche, había una luna clara que le permitía ir viendo dónde pisaba, y por otra parte no se animaba a echarse a dormir, prefería esperar a que amaneciera para buscar con luz un sitio propicio, para no echarse por accidente encima de un nido de alimañas. Gracias a esta decisión, fundamentada en el miedo que sentía por los bichos del campo, quedó establecida una estrategia efectiva que le permitía avanzar grandes distancias sin peligro de ser descubierto. Ni siquiera estaba seguro de que lo anduvieran buscando y el peligro de la Gestapo y de los agentes de Franco no pasaba de ser una anécdota incubada en los días ociosos del campo de prisioneros. De todas formas se cuidaba, procuraba evadir pueblos, carreteras y zonas descampadas donde alguien pudiera echarle el ojo, pues su uniforme y su cuerpo pasado por el purgatorio de Argelès-sur-Mer debían ser, supongo, muy fácilmente identificables. Durante diez días caminó así, siempre hacia la última coordenada que había mandado el embajador Rodríguez, una nota escueta dirigida al islote 5, donde les informaba que debido a la ocupación del ejército alemán mudarían la legación mexicana a un hotel de la ciudad de Biarritz, que ya les comunicaría, en cuanto supiera, el nombre del hotel y su dirección. El tren de Franco los había atrapado antes de que el embajador pudiera detallar su paradero, así que Arcadi caminaba sobre la coordenada general confiando en que Biarritz no sería una población muy grande y que una vez ahí no sería difícil dar con los diplomáticos mexicanos. *Durante esos días me alimenté exclusivamente de remolachas, no había otra cosa y la verdad es que al compararlas con el pan agusanado o con el lío de tripas malolientes que nos daban para comer en el campo, las remolachas terminaban siendo un alimento decoroso. (...) El agua la iba bebiendo donde podía, en un río, en un charco, eran días lluviosos así que el agua no representaba ningún problema,* dice Arcadi con su voz lejana en las cintas de La Portuguesa. Para no perder la cuenta de los días iba metiéndose una piedrita en el bolsillo cada vez que amanecía, por eso sabía que fue diez días después de haber brincado del tren que al llegar a la cima de una loma vio que, a unos quinientos metros, a mitad del campo, había un automóvil, un viejo Rosengart color azul, que súbitamente resquebrajó la serenidad que venía conservando a fuerza de monólogos optimistas, remolachas y caminatas kilométricas. De pronto se vio ante esa nave para la que imaginó un piloto generoso que podría llevarlo a Biarritz, o siquiera acercarlo, o al menos confirmarle si efectivamente estaba caminando hacia el occidente, pero inmediatamente después también imaginó el escenario opuesto. Pasar de largo era una locura, Arcadi era un náufrago y ahí, a quinientos metros, estaba el vehículo que podía rescatarlo, bastaba gritar y agitar las manos, pero también era cierto que el piloto podía ni ser tan generoso ni simpatizar con los republicanos españoles, quizá esto último, por lo que le había tocado experimentar, fuera lo más probable. Se decidió por una acción intermedia, agazaparse en un hueco natural que formaban tres pinos juntos y un brote de arbustos en semicírculo. Desde ahí, agazapado, podría esperar a que el dueño del Rosengart azul apareciera y dependiendo de cómo lo viera agitaría las manos y gritaría o mejor permanecería en silencio, recuperaría su serenidad y volvería a las remolachas y a los monólogos optimistas. En esas estaba, agazapándose en ese hueco que le había parecido idóneo, cuando puso el pie encima de un miembro blando que hizo gritar y levantarse al dueño de la mano que aprovechaba ese hueco natural idóneo para dormitar. Arcadi brincó fuera del hueco y no se echó a correr porque no disculparse le pareció una descortesía mayor y el dueño de la mano, en la misma sintonía, al ver el desconcierto de Arcadi, ni gritó ni se enfureció como iba a hacerlo. Perdón, balbuceó Arcadi. Soy Jean Barrières, dijo el otro ofreciendo la mano, la derecha, que no le habían pisado. Era un hombre grande y sonriente, tenía briznas de yerba enredadas en el cabello y sus hombros amplios se recortaban contra el fondo del cielo, que tenía en ese momento un azul glorioso. Arcadi dijo su nombre y al estrecharle la mano percibió, y después comprobó con la vista, que le faltaban dos dedos. Barrières reconoció inmediatamente el uniforme y por las trazas, el rumbo y el cuidado con el que se conducía Arcadi, dedujo que se había escapado de Argelès-sur-Mer, incluso me atrevería a asegurar, dice Arcadi que dijo, que brincaste la semana pasada del tren de Franco, y dicho esto sacó de la bolsa de la camisa un Gauloise y lo invitó a fumar. Arcadi le preguntó, para hacer tiempo y para terminar de comprobar que se trataba de un hombre confiable, que de dónde sacaba que le había pasado eso que había dicho. Barrières le dijo, para tranquilizarlo, todavía sonriente y con el cielo azul glorioso todavía de fondo, que era militante del partido comunista y que estaba en contacto con los comités de ayuda a republicanos españoles de la zona, y además tenía contactos en Argelès-sur-Mer, Brams y Barcarès, en fin, que ese azul glorioso era la evidencia de que ese hombre al que había pisado la mano le había caído del cielo. Entonces Arcadi le dijo que sus deducciones no sólo eran exactas, eran también algo intimidatorias, y le confió su proyecto de llegar a Biarritz para encontrarse con el embajador Rodríguez y subirse en uno de los barcos que se llevaban a los refugiados a México.

Jean Barrières vivía en Toulouse con su mujer y con su hermana y se ganaba la vida reparando automóviles en su taller, que estaba en las afueras de la ciudad, un sitio ideal para ocultarse que ponía a disposición de Arcadi mientras lograba averiguar si la legación mexicana seguía despachando en Biarritz o había emigrado a otra parte, como era costumbre en esa época entre las representaciones diplomáticas. Arcadi viajó en el Rosengart encantado, era la primera vez en años que viajaba en un vehículo sin que nadie le viniera pisando los talones, gozando del paisaje y de la conversación y de la perspectiva de comer algo que no fueran tripas o remolacha y de echarse a dormir, por primera vez en diecisiete meses, en un lugar con paredes y techo. El taller de Barrières era un patio largo con dos tejavanes llenos de entrepaños con herramientas y de aparatos, grandes y pequeños, cuya utilidad era un acertijo. En uno de los extremos, junto a una pila de llantas, había un solo automóvil reparándose, o eso parecía por el capó y la puerta del conductor que estaban abiertos, daba la impresión de que alguien había estado trabajando ahí y que no hacía mucho se había ido. Cruzaron el taller y llegaron a una construcción de dos plantas que estaba al fondo, caminaron por un piso lleno de manchas de aceite donde abundaban los tornillos, las rondanas y toda clase de residuos metálicos. Arcadi seguía a Jean, que iba diciendo al vuelo, con lujo de manoteos, la naturaleza de algunos de los aparatos que, aun cuando era dicha, y con bastante énfasis manoteada, seguía siendo un acertijo. Esto es una deflactadora de doble vía, y esto que ves aquí como una estufa con pico de pato es un calibrador de platinos, todo lo iba diciendo Jean con gran teatralidad, deteniéndose frente a los acertijos, presentándolos, dándoles su lugar ante Arcadi, que nada más asentía y trataba de mostrarse interesado, aunque para la cuarta presentación ya empezaba a preguntarse a qué hora iban a meterse a la oficina donde él suponía que Jean iba a alojarlo. Llegando a la puerta Jean dijo que todavía faltaba que le mostrara otro de sus aparatos, que era probablemente el único que de verdad iba a interesarle. Caminó hacia la pila de llantas que estaba en una de las esquinas; entre ésta y una estantería llena de herramental grasiento había un aparato grande y rectangular que tenía un panel lleno de botones, manijas y medidores. Jean se paró junto al aparato y en la cima de su teatralidad, cosa que hacía suponer que finalmente habían llegado al acertijo mayor, movió una palanca del panel y éste se abrió como una puerta y dejó a la vista una cavidad donde Jean, que era bastante más voluminoso que Arcadi, se acomodó sin ninguna dificultad. En caso de que aparezca la Gestapo o los agentes de Franco, dijo.

Arcadi fue instalado en la habitación que había arriba de la oficina, un espacio con cama, retrete y ducha que estaba decorado con cierto gusto, era incluso elegante, desde luego excesivo para ocultar republicanos españoles que habían pasado meses durmiendo a la intemperie. Pero Arcadi no reparó al principio mucho en ello, quedó mudo ante la posibilidad de ducharse y de dormir toda la noche en esa cama. Jean le dio algunas instrucciones, simples pero que debían cumplirse al pie de la letra, no debía salir, ni asomarse por la ventana, ni encender la luz, ni hacer el mínimo ruido cuando los trabajadores estuvieran en el taller. Arcadi permaneció ahí un mes completo, su anfitrión pasaba muy temprano en la mañana, antes de que llegaran sus empleados, a dejarle una canasta de víveres que preparaba Suzanne, su hermana, y con frecuencia regresaba en la tarde, ya que el taller estaba vacío, a llevarle libros y a conversar y a jugar ajedrez. Para poder escribirle a mi abuela, Arcadi le pidió a Jean su nombre, de esa manera, firmada por otro y escrita en clave, la carta podría pasar los controles de Franco sin comprometer a la familia que le quedaba en Barcelona y que llevaba más de año y medio sin saber de él. Jean sugirió que sería mejor utilizar el nombre de su hermana, así despistarían completamente a los revisores del correo. Arcadi había oído en Argelès-sur-Mer de varios casos de colegas que habían escrito a sus familias y que días después se habían enterado de que, gracias a esa carta, los franquistas habían ido por ellos, mujeres, ancianos y niños, y se los habían llevado a alguno de los campos de concentración que Franco tenía por toda España. La idea era acabar con cualquier vestigio del bando derrotado, aunque éste fuera encarnado por un viejo de noventa años, cada vestigio contaba y las cartas de los republicanos en el exilio eran un excelente vehículo para dar con ellos. El hombre que escribía a su familia para decirle que estaba bien y que los quería sin saber que con esas líneas iba a condenarlos: has destruido a tu familia con tu puño y letra. Hay material de sobra en esta línea para perder la razón.

Arcadi escribió un par de cartas firmando como Suzanne Barrières y alcanzó a recibir una, no sé de qué forma habría explicado su situación pero el hecho es que mi abuela entendió que iba a tratar de irse a México y además le escribió de vuelta el nombre de un primo lejano que había emigrado hacía años a aquel país y que había hecho fortuna vendiendo automóviles en un pueblo selvático llamado Galatea.

Una noche Arcadi leía encerrado en el baño a la luz de una vela cuando oyó que el portón del taller se abría. Apagó la llama de un soplido y se dispuso a bajar para ocultarse en la cueva, pero cuando iba abriendo la puerta de la habitación escuchó un escándalo de pasos en el patio que en cosa de segundos se detuvieron frente a la puerta de la oficina. Arcadi calculó que en lo que intentaban abrir la cerradura tendría tiempo suficiente para escapar por la ventana rumbo a la cueva, pero la puerta fue abierta sorpresivamente en un instante y ese imprevisto lo dejó paralizado en medio de la habitación a oscuras, oyendo, con el corazón brincándole en la garganta, cómo los pasos caminaban por la oficina y sin perder tiempo comen-

zaban a trepar por la escalera. Alguien lo había traicionado, los agentes sabían perfectamente hacia dónde dirigirse,
no habían tenido, a juzgar por la continuidad de sus pasos, ni un instante de duda. Arcadi cogió un jarrón, el único objeto con el que podía golpear a alguien, y se desplazó
sigilosamente detrás de la puerta. Desde ahí oyó cómo los
pasos subieron la escalera y cómo al llegar al umbral de la
habitación una voz dijo: Arcadi, ¿duermes? No, dijo aliviado de oír la voz de Jean, y salió a su encuentro con el jarrón entre las manos y no lo vio a él sino a la rubia leona-
da que venía delante de él. Soy Ginger, dijo ella, y dio paso
al gesto de Jean que lo decía todo. Arcadi bajó al patio con
la incógnita sobre la elegancia de la habitación completamente despejada. Caminó un rato procurando no pisar ni
objetos metálicos ni manchas de aceite, y ya que vio que la
estancia iba para largo se echó adentro de un Citroën que
los gordos repararían al día siguiente.

Aquella escena se repetía dos o tres veces por semana, más o menos igual, se abría el portón de improviso y volaban los dos al piso superior al tiempo que Arcadi
se refugiaba en uno de los automóviles. Al parecer no había
manera de sistematizarlo, Arcadi había sugerido que si se
le avisaba con cierta anticipación él podía salirse antes de
que ellos llegaran y así podía evitarse esa situación bochornosa. ¿Qué tiene eso de bochornoso?, había zanjado
Jean y a continuación, mientras evaluaba la posición de
uno de sus alfiles, le había dicho a Arcadi que avisarle con
anticipación era imposible porque sus citas dependían de
la conjunción de dos factores, que su mujer se hubiera ido
temprano a la cama y que el marido de Ginger hubiera
salido de copas con sus amigos, dijo Jean mientras levantaba el alfil por encima del tablero y lo colocaba en la posición que más le convenía. Jaque al rey, le dijo a Arcadi,
que andaba distraído pensando en la relatividad de lo bo-

chornoso: tenía apenas diecinueve años y ninguna experiencia en ese campo.

Así, durmiendo tres noches a la semana en el interior del automóvil en turno, pasó Arcadi ese mes oculto en las afueras de Toulouse, hasta que una noche, sin ruido del portón ni pasos previos que lo pusieran sobre aviso, la puerta de su habitación fue derribada de un golpe que lo hizo brincar de la cama. En cuanto cayó de pie sobre la piel falsa de tigre que fungía como tapete, dos agentes de la Gestapo le anunciaron que estaba arrestado. Arcadi llegó al Centro de Detención en calzoncillos y esposado por la espalda. Conducido por los agentes que iban abriéndole paso por el centro del tumulto que formaban los detenidos de esa noche, llegó hasta un escritorio donde un militar de cruz gamada en el antebrazo le leyó los cargos. Arcadi estaba acusado, así consta en el acta que se conserva hasta la fecha en el archivo del embajador Rodríguez, de «poseer propaganda política de inspiración extranjera» y de «distribuir octavillas y boletines de origen o inspiración extranjera cuya naturaleza es contraria al interés nacional». En la parte superior del acta dice con letras capitulares: Rotspanier, que era el vocablo alemán que definía a los rojos españoles. Después de oír los cargos y de decirle al que se los leía que no tenía idea de lo que le estaban hablando, Arcadi fue metido en un salón grande donde había otros cincuenta detenidos más o menos. En el umbral un guardia piadoso le había dado una frazada para que se la echara en los hombros. Los agentes de la Gestapo, que periódicamente espiaban las actividades de Barrières, se habían introducido a la oficina y habían descubierto, dentro de unas cajas ocultas detrás de un archivero, octavillas del partido comunista francés y ejemplares de las revistas *Alianza, Reconquista de España, Treball* y *Mundo Obrero,* evidencia suficiente para arrestar al Rotspanier que dormía en el piso de arriba. Esa noche Barrières entró al patio con Ginger de la mano y, al ver la puerta de la oficina abierta y la luz de la habitación encendida, supo que se habían llevado a su amigo. Un vistazo rápido al archivero que ocultaba las cajas le permitió, además de calcular la gravedad de los cargos, concluir que se trataba de una detención de rutina de las que practicaba todo el tiempo la Gestapo para establecer fianzas y obtener divisas. Sus colegas y él mismo habían pasado por eso infinidad de veces. Barrières le propuso a Ginger seguir adelante con su plan, al día siguiente pasaría por el centro a rescatar a Arcadi, no calculó, cosa rara en él, pero no tan rara si se toma en cuenta la lumbre de Ginger que lo obnubilaba, una secuela que iba a complicarle la vida. El secretario del Centro de Detención telefoneó a casa de los Barrières para avisar que habían encontrado propaganda política de inspiración extranjera en el taller de Jean y que habían detenido al infractor. La mujer de Jean encendió la lamparilla del buró para apuntar el folio del acta que le había tocado al detenido y de reojo comprobó que la cama de su esposo estaba vacía. Con cierta preocupación despertó a Suzanne, su cuñada, la mujer que, sin saberlo, firmaba las cartas que Arcadi le mandaba a mi abuela. Entre las dos llegaron a la conclusión de que lo procedente era acudir al Centro a pagar la fianza de Jean, para que no pasara la noche en una celda inhóspita. Era la conclusión natural, si se descarta que ninguna de las dos sospechaba que el taller era también escondite de colegas perseguidos y leonera. ¿Quién más que Jean podía ser el detenido? Abriéndose paso entre el tumulto de arrestados que esperaban su turno para que los encerraran, llegaron a la ventanilla a pagar la fianza. Era un trámite que conocían bien, lo habían efectuado dos veces desde que la Gestapo había empezado a operar en Toulouse. A cambio de una cantidad de dinero y del número de acta que la mujer proporcionó, apareció un muchacho en calzoncillos con una frazada en los hombros que respondía al nombre de Arcadi. *Al ver a esas mujeres no supe qué hacer, y sobre todo: qué no decir* —dice Arcadi en la cinta—, *no sabía ni por qué se me acusaba de lo que se me acusaba, ni qué interés podían tener esas señoras en pagar mi fianza.* ¿Y dónde está Jean?, preguntó la señora, y puso a trastabillar al inexperimentado de Arcadi, que no sabía dónde estaba pero sí tenía una idea de con quién podía estar. Su trastabilleo fue tal que en cuestión de instantes ya iban los tres a bordo de un Citroën rumbo al taller.

Dos días después Jean Barrières decidió que era momento de llevar a Arcadi a las afueras de Montauban. Había logrado averiguar el paradero de la legación mexicana y cierta información sobre la manera en que los agentes de Franco iban alternando las pesquisas de republicanos. También pesaba en su decisión que en ocasiones los arrestos de rutina, sobre todo los de Rotspaniers, volvían a repetirse hasta que se convertían en condenas formales o en deportaciones a España.

Era más de mediodía cuando Arcadi se apostó detrás de un montón de cascajo que había frente al hotel Midi, iba vestido con las prendas que le había dado Jean, unos pantalones demasiado grandes que se había ajustado con un cinturón, y una camisa donde hubieran cabido fácilmente dos Arcadis; se había peinado con agua para la ocasión, y todavía conservaba algo de orden en el pelo. En la zona donde supuso que estaba el vestíbulo había una cantidad exagerada de personas, un grupo que identificó de inmediato, por su miseria y su conducta ansiosa, como españoles refugiados. Vio que la bandera mexicana ondeaba en la terraza de una de las habitaciones y decidió, porque tenía el temor de que si se exponía mucho iban a pescarlo, que lo mejor era abordar al embajador en cuanto lo viera salir. Con esa intención se apostó detrás del cascajo y esperó hasta que empezó a oscurecer y su decisión comenzó a parecerle demasiado prudente. Aprovechando el camuflaje que le brindó un grupo nutrido que se aproximaba a la puerta, se introdujo en el vestíbulo y se confundió con la multitud que estaba ahí como esperando algo. En uno de los extremos, en un escritorio que estaba metido en el territorio del bar, había dos hombres de traje oscuro que trabajaban detrás de un altero de papeles. El altero se repetía idéntico en diversos puntos del bar, encima de un trío de bancos enanos y arriba de dos mesitas redondas que en otros tiempos debían haber soportado copas o vasos largos con bebidas frescas. Arcadi se acercó a ese par que parecía ser la autoridad que visitaba esa muchedumbre: había hombres, mujeres y niños de los que, aun cuando estaban exactamente en la misma situación que él, se sintió muy lejos. Arcadi explicó parte de su caso, nada más que el embajador lo había anotado en una lista en alguna de sus visitas a Argelès-sur-Mer y no dijo ni que había escapado, ni que había estado oculto más de un mes en Toulouse, ni tampoco que había caído en un centro de detención de la Gestapo. Uno de los secretarios, sospechando que había más historia detrás del extracto que acababan de contarles, le dijo que don Luis bajaría pronto de su oficina, a departir con los invitados, y que entonces, si quería, podía contarle a él con más detalle su situación. ¿Departir?, preguntó Arcadi desconcertado. Hoy es 15 de septiembre, la fiesta nacional mexicana, dijo el secretario que hablaba con él, el otro escribía cosas sin pausa en una hoja larga. Hasta entonces Arcadi reparó en que

entre la multitud había camareros con bandejas llenas de copas, cosa que le pareció extraña y dispendiosa en medio
de una guerra, aunque después se enteró, en alguna de
las charlas que sostendría durante el siguiente mes con el
embajador, que los camareros y la bebida eran una atención
que el mariscal Pétain, para atenuar un poco la inutilidad
de su investidura, tenía con los representantes del gobierno de México. Una atención de doble filo que funcionaba
también para que los camareros, que eran en realidad espías disfrazados, averiguaran lo que fuera sobre esa misión
diplomática que empezaba a ser un dolor de cabeza para
el gobierno de Vichy. Ya para entonces Franco le enviaba
al mariscal Pétain una lista semanal de refugiados deportables. Estas listas eran el resultado de una selección delirante, estaban conformadas a partir de los reportes de los
espías franquistas, que tenían la obligación de enviar a Madrid cada semana un mínimo de diez nombres de republicanos cuya existencia fuera un riesgo para la seguridad del nuevo Estado español. También eran tomados en
cuenta los reportes de la Gestapo, las observaciones de Lequerica, el embajador de España en Francia, y las suposi-
ciones del Estado Mayor de Franco, que con la lista de
funcionarios de la Segunda República en la mano, vatici-
naban que fulano o mengano deberían estar, ¿por qué no?,
escondidos por ejemplo en St. Jean-de-Luz, y a partir de
esas coordenadas histéricas salía un pelotón de agentes
de Franco, siempre apoyados por la Gestapo o por la policía francesa, a efectuar una razia en ese pueblo que incluía
la revisión de casas, hoteles, restaurantes, granjas, fábricas,
es decir, el allanamiento integral de la población. Con frecuencia los agentes no daban ni con fulano ni con mengano y entonces, como maniobra compensatoria, arresta-
ban a zutano y a su familia para cumplir con la cuota de
deportados que se les exigía. Los republicanos que a par-

tir de estas listas, o a causa de que no aparecieran los que estaban originalmente en ellas, eran regresados a España, tenían que purgar condenas, durante años, en los campos de prisioneros del dictador. La legación de Rodríguez era mencionada con frecuencia en los informes que acompañaban a las listas, los espías de Franco y el embajador Lequerica aseguraban que él había ayudado a escapar a Inglaterra al doctor Negrín, y que además pretendía llevarse a México al presidente Azaña y a cuanto cabecilla republicano se le acercara en busca de ayuda. Todo esto era cierto, como también lo era que no podía hacerse nada contra los perseguidos mientras estuvieran en territorio mexicano, es decir, en las habitaciones del hotel Midi que constituían la legación de México en Francia. Tampoco podía hacerse nada muy abiertamente, aunque algo se hacía, contra los refugiados que se habían apuntado en el proyecto de evacuación del embajador: había órdenes expresas del Reich en el sentido de evitar lo más posible los escándalos diplomáticos. Ése era aproximadamente el margen en que se movían, los dos bandos infringían cierto porcentaje de la convención: los diplomáticos mexicanos otorgaban disimuladamente asilo, mientras los agentes de Franco deportaban, por lo bajo, republicanos protegidos por el gobierno de México.

Arcadi se mezcló entre los invitados, participó en dos o tres conversaciones y aceptó, de un camarero solícito, media docena de canapés y dos copas del champán que había mandado el mariscal. Lo único que deseaba en realidad era subirse inmediatamente a un barco, llegar a México cuanto antes, recuperar a su mujer y a su hija y empezar a rehacer su vida en aquel país, casi nada. En cuanto pudo se acercó a Rodríguez, que departía con los invitados con la misma energía, un entusiasmo sobrado, que había desplegado en el campo de Argelès-sur-Mer. Rodríguez naturalmente no lo recordaba, había conocido a miles como él en los últimos meses, pero de inmediato le ofreció asilo en una de las casas de voluntarios franceses que colaboraban con la legación, mientras conseguimos embarcarlo, le dijo el embajador afable, poniéndole una mano encima del brazo que Arcadi interpretó como una invitación a que depositara en él su confianza.

Cerca de las ocho de la noche, don Luis llamó la atención de los invitados para agradecer su presencia en la celebración de esa fiesta tan importante para México, una intervención breve que buscaba acentuar el carácter exclusivamente social de esa reunión, aunque en el fondo, como después se enteraría Arcadi, esa celebración patria era un mero pretexto para intercambiar puntos de vista con ciertos líderes republicanos que de otra forma no hubieran podido acercarse al embajador. En un arranque de sociabilidad que le había despertado el champán, Arcadi se acercó a conversar con el secretario que, por estar escribiendo cosas sin pausa en una hoja larga, no había intervenido en su presentación. Sí, oí lo que le decía usted a mi colega, le dijo el secretario, que bebía sorbitos de una copa que traía en la mano. Arcadi aprovechó la buena disposición del diplomático para preguntarle sobre México, sobre Veracruz y concretamente de qué clase de pueblo era Galatea. ¿Galatea?, dice Arcadi que preguntó el secretario y que puso una cara de extrañeza que lo dejó preocupado. Luego, para compensar la nula información que tenía sobre ese rincón de su patria, el secretario se lanzó con una apología del país que representaba, le habló de sus ciudades, de sus zonas arqueológicas y sobre todo de sus escritores, con énfasis en don Alfonso Reyes, que era diplomático como él mismo. El entusiasmo del secretario empezó a crecer, citaba nombres, títulos de obras mientras le daba tragos esporádicos a su copa de champán. Su monólogo ya había logrado atraer la atención de otros que ahora formaban un semicírculo alrededor del diplomático, que hablaba y hablaba y en determinado momento, en lo que brincaba de Julio Torri a Gorostiza, mordió su copa y masticó el vidrio al tiempo que elaboraba una breve sinopsis de *Muerte sin fin.*

Venga un momento, Arcadi, le dijo el embajador con disimulo en el oído para no interrumpir la soflama que lanzaba su secretario, que ya tenía cautivados a la mitad de sus invitados. Arcadi fue conducido del brazo hasta un lugar apartado, en la zona donde los alteros de documentos ocupaban una parte del bar. Un camarero se acercó inmediatamente a ofrecer champán y canapés, y aunque el embajador le dijo que no deseaban nada, de todas formas se quedó por ahí paseándose con la bandeja en alto, sobre la palma de la mano derecha. Rodríguez le preguntó a Arcadi en voz baja su apellido y después le informó, también en voz baja, que su nombre aparecía en la lista de españoles deportables que acababa de enviar Franco. Arcadi sintió que se desvanecía, por un instante se vio con toda nitidez ingresando a una cárcel, alejado para siempre de su mujer y de su hija, o de pie con las manos atrás frente a un pelotón de fusilamiento, como les había sucedido a no pocos de sus compañeros de armas. No se preocupe, Arcadi —le dijo Rodríguez sin soltarle el brazo, sin dejarle de asegurar por esa vía que podía depositar su confianza en él—, voy a darle asilo aquí mismo.

Franco mandaba sus listas por partida cuádruple, al mariscal, al jefe de la Gestapo, al jefe de sus propios agentes y a Lequerica, su embajador. Rodríguez tenía cierta relación, muy estrecha en el inciso de colaborar con los republicanos, con uno de los secretarios de la embajada de España. Este diplomático, que aparece con la inicial A. en la bitácora del embajador, copiaba clandestinamente la lista que recibía Lequerica y la hacía llegar a la legación mexicana para que Rodríguez pudiera socorrer, o siquiera prevenir, a los refugiados que aparecían en ella. La lista de A. llegaba cada lunes a las manos del embajador con una puntualidad asombrosa y siempre siguiendo una ruta distinta. En las páginas que la bitácora dedica a su invaluable colaboración, se consignan, como ejemplo, dos de las formas en que Rodríguez recibió la lista: doblada en tres dentro de un bolsillo del frac que había mandado a la tintorería y doblada en cuatro partes, debidamente protegida por dos láminas de papel encerado, metida en el sitio que hubiera ocupado el jamón dentro de un sándwich.

El vestíbulo del hotel Midi comenzó a vaciarse. Luis Rodríguez, con su sobrado entusiasmo característico, se despedía personalmente de sus invitados en la puerta, a cada uno le iba diciendo algo distinto. Quizá eran claves o santo y señas para alguna de sus acciones de salvamento —se oye en la cinta que interrumpo y que hago que Arcadi pierda el vuelo, porque después se oye un silencio, se oye que lo dejo pensando y que unos segundos largos más tarde dice, mientras da unos golpecitos con su garfio en la silla: *puede ser, ahora que lo mencionas puede que así fuera*—. El vestíbulo quedó vacío con la excepción del medio círculo que seguía festejando, con abundancia de risas y exclamaciones, el soliloquio de Leduc. Dos camareros se habían añadido al público y habían dejado ahí sobre una mesa, a disposición de quien quisiera, media docena de botellas de champán. Acompáñeme, por favor, le dijo al oído el embajador a Arcadi, aprovechando que los espías que quedaban estaban absortos con el soliloquio. Arcadi abandonó el vestíbulo detrás del embajador, caminó un pasillo largo y subió las escaleras hasta el tercer piso. A medida que se alejaba del vestíbulo iba oyendo cómo todo aquel barullo de final de fiesta iba quedando reducido a la sola voz de Leduc que recitaba unos versos que hacían eco en el vacío de la escalera y que Arcadi recita en la cinta de memoria: *No haremos obra perdurable. No tenemos de la mosca la voluntad tenaz.*

Arcadi caminaba rumbo a las habitaciones saboreándose la primera noche de hotel que iba a tener en su vida, iba concluyendo, de manera precipitada, que los sitios donde le tocaba dormir mejoraban cada vez que se mudaba. Su entusiasmo se disipó, o más bien se emborronó con la humareda que salió en cuanto el embajador abrió la puerta de la habitación número 7 y le dijo: acomódese donde pueda y que pase buena noche. Arcadi se quedó mudo en el umbral. Dentro de la habitación, que no rebasaba el tamaño estándar, se hacinaba una veintena de refugiados, de todo tipo y variedad, que fumaba de manera desesperada. Tres niños correteaban y se arrojaban objetos, de un lado a otro de la cama, por encima de los hombres y las mujeres que la ocupaban. Había gente sentada, recostada y de pie, otros leían hojas de periódico o un libro, o nada más estaban ahí aprovechando el lujo de unos centímetros mullidos que les habían tocado en suerte. En medio de la cama reposaba, o quizá agonizaba, una viejecita inmóvil en la que nadie parecía reparar, que tenía la talla de los niños que se arrojaban objetos. ¡Vas a entrar o no!, gritó un hombre de guerrera y de bigote que, esperando a que Arcadi entrara y cerrara de una vez la puerta, había suspendido la lectura de su hoja de periódico. El hombre impaciente estaba medio sentado en un buró que compartía con otro individuo, también de guerrera y bigote, que dormitaba en su hombro. El panorama no mejoraba ni en el cuarto de baño, donde había un individuo leyendo sobre la tapa del retrete, otro medio sentado en el filo del bidé, y un viejo de corbata, pelo engominado y aire de cabildo, que estaba cómodamente recostado dentro de la bañera, con un suéter en la nuca que hacía las veces de cojín. Arcadi se disculpó y entró y, contra lo que le dictaba su instinto de supervivencia, cerró la puerta. El embajador había dispuesto que ni se dejaran las puertas abiertas ni se deambulara por los pasillos del hotel, le explicó, ya sin gritarle, y procurando no moverse para no alterar el sueño de su gemelo, el hombre de la guerrera. Tratando de disimular su desaliento, Arcadi se acomodó entre la cómoda y el ropero, intercambió puntos de vista con un hombre que le hablaba desde la cama y aceptó de otro un cigarro que fumó sin ganas, azuzado por el propósito de que hubiera siquiera un porcentaje suyo en esa nube que de todas formas iba a envenenarlo.

Así comenzó la primera noche de hotel en la vida de Arcadi, oyendo conversaciones aisladas, participando en algunas, dormitando y procurando no moverse, porque en ese espacio reducido, donde los cuerpos colindaban de manera tan íntima, bastaba estirarse mínimamente para que los de alrededor tuvieran que moverse un poco y consecuentemente los que estaban junto a ellos. Cada movimiento, por imperceptible que fuera, provocaba una ola que iba a reventar en alguno de los extremos de la habitación. Cerca de las doce de la noche, cuando Arcadi había logrado acomodarse y se disponía por fin a dormitar, el embajador Rodríguez abrió la puerta y sin hablar, con un movimiento enérgico de cabeza, invitó a los que quisieran a salir al pasillo un rato a estirarse. Era una maniobra que hacía cada vez que se podía, cuando estaba seguro de que los empleados del hotel no andaban cerca para husmear, que era siempre a deshoras, muy de noche o en la madrugada. Arcadi salió con los que querían espabilarse, unos cuantos prefirieron quedarse a sus anchas dentro de la habitación. En una esquina del pasillo el embajador había puesto, encima de una mesa, los canapés y el champán que habían sobrado. Un presente del mariscal Pétain, les dijo divertido y en voz baja invitándolos a que comieran y bebieran. Otros tantos refugiados de la habitación de junto, la 9, participaron también de esos minutos de recreo. Durante tres cuartos de hora comieron, bebieron y deambularon sin decir ni pío, todos compartían el miedo de ser descubiertos y deportados a España en el tren de Franco.

En los días que siguieron Arcadi comprobó aliviado que aquella noche la habitación había estado excepcionalmente llena, lo normal era que hubiera media docena de refugiados, a veces menos, el número dependía de las listas de Franco. *La mayoría aparecía en una sola lista y después, a la semana siguiente, ya no volvía a aparecer, su nombre simplemente se desvanecía,* dice Arcadi en la cinta y en su voz puede detectarse, sesenta años después, cierta incredulidad. Nunca pudo entender por qué su nombre apareció cinco semanas consecutivas, cuando había refugiados con cargos más vistosos que los suyos que no aparecieron ni una vez. Sin embargo, hurgando en los anales de la triple maquinaria policiaca que operaba en Francia durante ese año y observando con detenimiento su historial, Arcadi no era un refugiado tan inocuo como él creía. Había escapado del tren de Franco y había sido detenido en Toulouse por la Gestapo, y a esto había que agregar los delitos de guerra que quisieran adjudicarle por su escalafón de teniente de artillería, en resumen, y aunque efectivamente había refugiados con expedientes mucho más graves, Arcadi tenía deudas con las organizaciones policiacas de los tres países interesados.

La vida en la habitación del hotel Midi era monótona pero tenía sus comodidades, el embajador se las arreglaba para que sus huéspedes tuvieran comida, periódicos, libros, un mazo de cartas y un tablero de ajedrez. También procuraba conversar con ellos y sacarlos de su escondite cuando menos una vez al día. Una semana después de su llegada, el embajador llamó a Arcadi a su oficina, que estaba en la habitación número 11, para comunicarle que había vuelto a aparecer en las listas de Franco y que lo más sensato era permanecer en «territorio mexicano» hasta que su nombre, como sucedía tarde o temprano con casi todos, se desvaneciera. Rodríguez trabajaba sin tregua y era capaz de sostener una conversación larga sin interrumpir lo que estaba haciendo. En esas condiciones recibía a Arcadi y a quien fuera a verlo, sentado en su escritorio contra la pared, con las cortinas cerradas, fumando un cigarro tras otro, escribiendo notas o anotando nombres y cifras en su mapa. Rodríguez fue el primero que le dio a Arcadi razón sobre Galatea, le contó que había estado ahí una sola vez acompañando al general Cárdenas durante la campaña presidencial, le dijo que hacía calor, que la gente era amable y la selva de una espesura insólita. No se angustie, le va a ir muy bien, le decía el embajador sin perder el paso de la carta que escribía cada vez que Arcadi le preguntaba sobre ese pueblo remoto que ya desde entonces era su destino. La habitación número 11 era una suite dividida en dos espacios, uno era la oficina donde el embajador trabajaba y recibía gente y la otra era el dormitorio donde se acomodaban él y sus dos secretarios, los últimos sobrevivientes de esa legación que en París contaba con quince personas y que de hotel en hotel había ido decreciendo hasta ese extremo.

Una de esas veces en que Arcadi conversaba con Rodríguez en su habitación, mientras intercambiaban pronósticos sobre la permanencia de Franco en el poder, vio al fondo, en el dormitorio, una imagen a la que regresaría en sueños, según dice, durante el resto de su vida. Era una imagen tan disparatada que le dio vergüenza confirmarla ahí mismo con el embajador y prefirió esperar hasta que estuvo de vuelta en la habitación 7 para consultar con sus compañeros de asilo lo que acababa de presenciar. A mitad de sus pronósticos acerca de Franco, Arcadi vio cómo en el dormitorio un viejo trataba de orientar una silla frente a la ventana, con la intención de que la luz entrara directamente sobre las páginas del libro que, unos momentos más tarde, comenzaría a leer. El viejo batallaba con la silla para orientarla adecuadamente, era un mueble grueso y sólido y él no parecía estar en sus mejores días, todo lo contrario, daba la impresión de estar al borde del colapso, tanto que una mujer, probablemente la suya, apareció en la escena durante unos instantes para socorrerlo en su maniobra. El embajador, como era su costumbre, conversaba de frente a la pared, de espaldas a la habitación, escribía una carta sobre el escritorio en una de sus hojas membretadas, así que Arcadi podía mirar con toda libertad al viejo que leía en la habitación contigua mientras escuchaba los futureos sobre el dictador. Arcadi estaba intrigado con el estatus de ese personaje que, puesto que ocupaba el único espacio que tenían para descansar los miembros de la legación, debía ser muy importante. El viejo, probablemente llamado por el cosquilleo que debía producirle la mirada insistente de Arcadi, levantó los ojos del libro y volteó hacia la oficina de Rodríguez, nada más para comprobar que aquel cosquilleo se lo producía ese mirón tenaz, a quien sonrió y dedicó una inclinación de cabeza, un gesto breve, lo mínimo que se debían dos personas que habían perdido la misma guerra. Después el hombre simplemente regresó a su libro y dejó a Arcadi perturbado hasta el punto de que no volvió a atender ninguno de los futureos que, sin perder el paso de la carta que escribía, improvisaba el embajador. De regreso en su habitación Arcadi contó lo que acababa de ver y uno de los que estaban ahí le confirmó que era verdad, que era cierto que don Luis Rodríguez tenía escondido en su habitación al presidente Azaña.

Según los cálculos de Rodríguez ese mes de septiembre de 1940 todavía quedaban 80.000 refugiados en Francia, de los 300.000 que él calculaba que habían cruzado la frontera en febrero de 1939. Hasta esa fecha, como puede comprobarse en los archivos de la Rue Longchamp, la legación mexicana había documentado a 100.000 refugiados españoles. Durante ese mes Rodríguez coordinaba una cantidad de empresas, tentativas la mayoría, cuyo número y versatilidad explican por qué no dejaba de trabajar ni siquiera cuando sostenía una conversación. Nada más en el apartado del transporte, por ejemplo, había conseguido un barco griego que estaba en buenas condiciones pero le faltaba combustible y bandera de un país neutral que inspirara respeto a los países beligerantes. Mientras conseguía solucionar estos dos requisitos, intercalaba la negociación de dos barcos, de bandera francesa, que acababan de atracar en el puerto de Marsella; habían transportado alrededor de dos mil heridos desde Inglaterra y una vez descargados quedaban libres para cualquier misión, así que el administrador los ponía a disposición del embajador asegurándole que entre los dos barcos podían llevarse a México a 5.000 refugiados. Los nombres de estos dos barcos eran *Canada* y *Sphinx*, el barco griego se llamaba *Angelopoulos*. A esta negociación triple vino a sumarse una propuesta de la Cruz Roja francesa, que ofrecía el *Winnipeg*, de 10.000 toneladas, y el *Wyoming*, de 9.000. La propuesta era descaradamente favorable para la Cruz Roja, pero de todas formas era una opción que, a juzgar por las notas que escribió el embajador al respecto, fue considerada con extrema seriedad. Por otra parte se trataba de una propuesta inesperada porque la Cruz Roja francesa se había distinguido por su falta de caridad y por su morosidad cínica a la hora de socorrer a los refugiados españoles. La propuesta consistía en llevarse 3.000 refugiados a México y que allá el gobierno de Cárdenas llenara los barcos de combustible suficiente para el regreso y de bastimentos para socorrer a los franceses de la zona ocupada. Las consideraciones escritas del embajador Rodríguez sobre estos tres proyectos, que incluyen correspondencia con los responsables de los barcos, memorándums con el presidente Cárdenas y notas para su bitácora personal, fueron realizadas durante tres semanas de aquel septiembre y todas, con la excepción de los memorándums, están escritas a mano, con su caligrafía cuidadosa y llena de picos, encima de ese escritorio con vistas a la pared. Ese archivo, cuya carátula dice *Angelopoulos, Canada, Sphinx, Winnipeg* y *Wyoming,* tiene más de un millar de páginas y su confección, como puede constatarse por los documentos que generó la legación durante esas tres semanas, fue alternada con todo tipo de ocupaciones: visitas a funcionarios públicos, negociaciones para conseguir vía libre por distintas aguas territoriales, conversaciones con los delegados del gobierno inglés, intercambio verbal y por escrito con seis distintos líderes de agrupaciones de exiliados en Francia y en México, la firma de más de 250 visas todos los días, el rescate angustioso del presidente Azaña, la fiesta del 15 de septiembre e innumerables charlas con los huéspedes que asilaba en sus habitaciones. De todas las posibilidades de transporte que barajó durante esas tres semanas, en las que invirtió cantidades significativas de tinta, papel y esfuerzo diplomático, nada más una, de manera parcial, pudo concretarse, por medio de un arreglo necesario y desventajoso, con el capitán del *Sphynx*.

Arcadi apareció cinco veces consecutivas en las listas de Franco, luego, como solía suceder, su nombre se esfumó, aunque en realidad fue a concentrarse en el padrón general de españoles que, mientras Franco viviera, no podrían regresar a su país, o sí, una vez que purgaran las condenas que el régimen les había adjudicado. Arcadi salió del hotel Midi treinta y dos días después de su llegada, el 16 de octubre de 1940, rumbo al pueblo remoto de Galatea, en Veracruz, México. Se fue con una noción aproximada de las circunstancias en que se quedaban mi madre y mi abuela, pero ignorándolo todo acerca de la suerte que habían corrido su hermano y su padre, mi bisabuelo, el hombre que detonó la primera mina de esta historia. Mi abuela, porque así juzgó que era pertinente hacerlo, no le comunicó, en la única carta que fue posible enviarle durante su exilio en Francia, lo que había sucedido con el resto de la familia, se limitó a escribir: estamos bien, no pierdas tu tiempo y tus energías pensando en nosotras. No dio más detalles, los guardó para cuando su marido estuviera sano y salvo en México, pensó que era lo mejor, la información que había omitido hubiera hecho trizas a ese hombre que de por sí ya estaba maltrecho, quizá, pensó entonces mi abuela, iba a quitarle las ganas de seguir batallando para llegar a Galatea. Cuando Arcadi finalmente se enteró de lo que les había sucedido, le escribió a su mujer una carta, desde aquella selva donde se encontraba a salvo, que decía: mejor que no me enteré, yo hubiera hecho lo mismo en tu caso.

Lo que Arcadi ignoraba entonces era que Oriol, su hermano, había desaparecido, pero aun cuando lo supo meses más tarde por la carta de mi abuela, siguió ignorando, durante décadas, los pormenores de aquella desaparición. Oriol había permanecido varios días más en aquel hospital de Port de la Selva, los médicos le habían prometido, a él y a todos los heridos, que un transporte especial los recogería para llevarlos a la frontera y que de ahí serían trasladados a un hospital en Francia. Pero una semana después de que se retirara el último contingente republicano, en el que iban Arcadi y Bages, los heridos, que eran noventa y seis, se encontraron en una situación que no atinaban, por cruda y brutal, a descifrar. Una noche no apareció el médico al que le tocaba la guardia y tampoco fue relevado por el que tenía el turno de la mañana, ni éste fue relevado por el que debía presentarse a mediodía. Cuando llegó otra vez la noche los heridos concluyeron que los habían abandonado. Se sabe que alguno de ellos consiguió una radio y que de su comunicación sacó en claro que el transporte que les habían prometido no existía, había sido un invento de alguien o un buen deseo que no se había cumplido. Se sabe también que después de una discusión, donde abundaron las escenas de rabia, de histeria y de pánico, concluyeron que había que irse de ahí antes de que llegaran los franquistas, todos conocían alguna historia de republicanos heridos que no habían contado con la misericordia del ejército enemigo. Se sabe que se fueron de ahí, como pudieron, ayudándose unos a otros: los que tenían heridas que les permitían moverse, que nada más estaban rengos o tenían fracturado el cráneo o les habían amputado un miembro no indispensable para desplazarse solos, ayudaban a los que no podían tenerse en pie. Se sabe que en esas condiciones enfilaron hacia la frontera y que así, como la más desastrosa de las retaguardias, llegaron, por recomendación de un payés que les dijo que la frontera estaba cerrada, a la falda del Pirineo. Se sabe que en cuanto empezaron a subir la cuesta comenzó a nevar y que había unas ventiscas preñadas de hielo que dificultaban enormemente el ascenso, al grado de que los que podían moverse, o cuando menos la mayoría de ellos, optaron por dejar ahí, medio protegidos de las ventiscas por una roca enorme, a los que no podían moverse. A partir de ahí cada herido eligió al azar su rumbo y cada quien, según su herida, su resistencia y su suerte, sobrevivió o murió en su empeño. Se sabe, o quizá nada más se puso por escrito, que Oriol fue visto por última vez cerca de la cima, todavía de pie, batallando contra una ráfaga mayor que corría por el espinazo de la cordillera, a unos cuantos pasos de atacar la pendiente que desembocaba en Francia. Todo esto no lo supo Arcadi hasta 1993, por medio de una carta que recibió en La Portuguesa, escrita de puño y letra por un amigo de Oriol que había logrado llegar a Collioure y había conseguido curarse y permanecer ahí y rehacer en aquel pueblo francés su vida. Eso es todo, no se sabe nada más. Durante toda su vida Arcadi conservó la esperanza de que su hermano anduviera perdido en algún país de la órbita soviética o en algún pueblo sudamericano. Todavía, cada vez que suena el teléfono, lo primero que piensa es que por fin lo llama Oriol, me dijo mi abuela hace unos años. A Martí, su padre, mi bisabuelo, no le fue mejor, pero al menos se sabe lo que le sucedió. Cuando el ejército franquista entró en Barcelona, Martí convalecía, en uno de los dormitorios del piso de Marià Cubí, de las fracturas que le había producido la estampida de pánico en la plaza de Cataluña. En ese piso además vivían mi bisabuela, mi abuela, mi madre, la mujer de Oriol y Neus, la hermana de mi abuelo, una tribu de mujeres que se habían deshecho de cuanto documento u objeto pudiera inculpar a los combatientes republicanos de la casa. No calcularon que en ese tipo de situaciones la gente, que bien puede ser un vecino con el que se tenía una relación cordial y civilizada, delata para congraciarse con el amo en turno y, basadas en este error de cálculo, no escondieron al bisabuelo, lo dejaron ahí convaleciente en su dormitorio mientras un trío de soldados, que sabían perfectamente por quién iban, revisaban de arriba abajo el piso. De nada sirvieron ni sus credenciales de periodista, ni la nula peligrosidad que representaba para el régimen de Franco ese viejo abatido y convaleciente. Lo sacaron de ahí esposado, a la fuerza, en medio de un jaloneo contra la tribu de mujeres que hacía todo para evitar que se lo llevaran. Martí fue metido en una celda común en la prisión Modelo, ahí esperó trescientos días a que le dictaran sentencia o a que lo dejaran en libertad. Neus, su hija, lo visitó sin falta todas las mañanas, sentía un afecto especial por él y además deseaba compensar la ausencia de su madre, que había ido una sola vez a visitarlo y saliendo de ahí lo había dado a él por muerto y a ella por viuda y se había vestido de luto el resto de su vida. Neus recuerda, con gran pesar hasta hoy, aquellas trescientas visitas donde le iba comunicando a su padre, que la oía pacientemente del otro lado de la reja, los avances, nunca muy consistentes, que iba haciendo el abogado. Poco era lo que podía hacerse cuando lo normal era que encerraran republicanos y sin juicio que mediara los dejaran ahí durante años, o los fusilaran, como sucedía no pocas veces. A medida que pasaban las semanas y los meses Neus iba perdiendo la esperanza de sacar de ahí a su padre con vida, Martí compartía el espacio con ocho detenidos en una celda sin ventilación que tenía un solo retrete. A los cuatro meses de estar ahí tuvo una crisis respiratoria que fue atendida, tarde y mal, por el médico de la cárcel. Más tarde se enteró, y al día siguiente su hija, de que tenía tuberculosis en un grado, al parecer, bastante avanzado. El abogado trató de usar como argumento la enfermedad para liberar a su cliente, o siquiera para conseguir que lo trasladaran a un hospital o a su casa, bajo el régimen de arresto domiciliario, que se usaba a veces cuando el juez era piadoso. La decisión del juez tardó demasiado en llegar, o quizá no iba a llegar nunca; el caso es que luego de trescientos días de cautiverio, y de varios meses de un deterioro que lo fue dejando acezante y cenizo, Martí murió en su catre, sin que ninguno de sus compañeros de celda lo notara, o cuando menos eso fue lo que le dijeron a Neus, que en cuanto llegó al día siguiente a visitarlo pensó que todavía dormía y pidió que lo despertaran. Martí fue enterrado sin ninguna ceremonia en el panteón civil de Barcelona, Neus y Adolfo, su novio, fueron los únicos que asistieron. Mi bisabuela no halló razones para asistir al entierro de quien llevaba sepultado casi un año, imposible culpar a esa mujer que había perdido en muy poco tiempo a los tres hombres que había en su vida. Mi abuela tuvo que quedarse en casa a cuidar de Laia, que era pequeña, y de la mujer de Oriol, que empezaba a experimentar unos ataques de locura que la hacían echarse a correr gritando que habían matado a su marido y en su carrera iba golpeándose contra los muebles y contra las paredes y con frecuencia se hacía daño.

Después del entierro de Martí el ambiente se enrareció en el piso de Marià Cubí, Neus se fue a vivir con Adolfo y dejó ahí a la tribu: a mi abuela y a la mujer de Oriol esperando ansiosas alguna noticia de sus maridos, y a mi bisabuela, que pasaba el día completo y buena parte de la noche sentada pacíficamente en un sillón, ligeramente encorvada hacia delante, con su mano ganchuda puesta en la perilla de un aparato de onda corta que había en el salón, una caja grande y marrón con dial de luz amarfilada, donde sintonizaba programas de todo el universo radiofónico que eran transmitidos en checo y en ruso y en otras lenguas que no entendía. Las crisis de la mujer de

Oriol eran cada vez más espectaculares y se repetían con más frecuencia. Mi abuela la había llevado a un hospital, en un momento en que una crisis reciente la había dejado sin ánimo para resistirse, pero el médico que las atendió las había mandado de vuelta a su casa, por prudencia y por temor, las dos mismas razones que había esgrimido otro médico, amigo de la familia, durante una visita que les había hecho semanas después, cuando los ataques comenzaban a volverse incontrolables. Lo único que decía la mujer de Oriol cada vez que los médicos le preguntaban algo o trataban de auscultarla era que Franco había matado a su marido, y oír eso y solaparlo y encima tratar con medicina a la mujer que lo decía era un riesgo que ninguno de los dos doctores había querido correr, nada más el que era amigo había dejado unos calmantes, un tubo de pastillas que no había conseguido el menor efecto.

Una mañana muy temprano mi abuela notó que la puerta del piso estaba abierta y buscando el motivo dio con la mujer de Oriol, o más bien con su cuerpo suspendido en el vacío de la escalera, que se había colgado del cuello con un cinturón que estaba amarrado de uno de los barrotes del pasamanos con un nudo trabajoso, furibundo, a fin de cuentas la última atadura de su vida. Neus ayudó a mi abuela a salir del trance legal que significaba un ahorcado en casa, y también la socorrió meses después cuando murió mi bisabuela, de manera pacífica, mientras oía un noticiario que según mi abuela, que estaba ahí junto a ella, se transmitía en una lengua escandinava.

A mi abuela y a mi madre les tomó muchos meses conseguir dinero y un barco que las llevara a México en plena Segunda Guerra Mundial. Zarparon finalmente del puerto de Vigo el 3 de julio de 1943. Neus se quedó, se casó con Adolfo, tuvo a Alicia, su hija, en fin, rehízo como pudo su vida, es el único miembro de la familia que, por no haberse exiliado ni tampoco haberse muerto, logró permanecer en Barcelona. El dinero para el viaje llegó a manos de mi abuela de forma, si no misteriosa, sí curiosamente oportuna. Llegó después de mucho buscarlo con amistades y conocidos; Neus y su novio, que eran la única familia a la redonda, no tenían ni un céntimo y mi abuela era huérfana desde niña y no tenía hermanos, ni tíos, ni primos a quien recurrir, no en esa época donde nadie sabía quién vivía y quién había muerto. El dinero llegó justamente cuando había que comprar los pasajes para el barco que zarparía de Vigo y llegó de una persona inesperada, de manos del médico amigo de la familia que alguna vez había llevado una dotación de calmantes inocuos para la mujer de Oriol.

El presidente Azaña, como ya se ha dicho, era una de las prioridades de la legación de Rodríguez. El general Cárdenas mandaba preguntar semanalmente por su salud, por su situación política y por la intensidad de los acosos a que lo sometían los agentes de Franco.

Unos días antes de la fiesta mexicana de independencia, Luis Rodríguez había acudido a una recepción en la embajada de Suecia. No es completamente seguro que haya sido la embajada de aquel país, la forma en que está registrado este incidente en su bitácora se presta a confusiones; pero dejando de lado esta imprecisión, se sabe que ahí Rodríguez, en determinado momento del cóctel, fue abordado por Hans, el diplomático alemán que habían conocido en aquel intento de desalojo en París y que posteriormente los había desasosegado con su presencia, aparentemente casual, en aquel bar de Burdeos, justamente después de que habían ayudado al doctor Negrín y a su comitiva a embarcarse a Inglaterra. Rodríguez se sorprendió al ver que se le acercaba, no sabía en qué sector de la diplomacia acomodar a ese personaje con quien había coincidido en momentos cruciales. Hans le estrechó la mano y le dijo, muy cerca del oído para que nadie más oyera, que acababa de ordenar a un comando de élite de la Gestapo que entrara en una hora a la casa que estaba ubicada en el número 23 de la Rue Michelet y que aprehendiera a todos sus habitantes, y que él esperaba, le decía al embajador todavía sin soltarle la mano, que hiciera algo de provecho con esa información y que le deseaba mucha suerte, y entonces se despegó de su oído, le sonrió amistosamente y hasta entonces, antes de darse la media vuelta e irse, le soltó la mano. Rodríguez había salido de ahí pitando y había logrado sacar al presidente y a su mujer de la casa y se los había llevado al hotel Midi.

A principios de noviembre, tres semanas después de la partida de Arcadi, murió el presidente Azaña en el territorio mexicano de la habitación número 11, su enfermedad progresiva se le había adelantado a los agentes que querían regresarlo a España. La historia del exilio del presidente está ampliamente documentada, se ha narrado de diversas formas y abundan los ensayos al respecto. Su entierro fue una ceremonia desangelada, esto puede comprobarse en las fotografías que se hicieron ese día en aquella ceremonia que se malogró a causa de la creciente hostilidad que manifestaba el gobierno francés ante cualquier acto republicano. A pesar de esa hostilidad, que consiguió disuadir a casi todos los que hubieran querido rendirle homenaje, Luis Rodríguez hizo un esfuerzo histórico porque a don Manuel Azaña se le enterrara con los honores que merecía un presidente. Cuando se enteró de la grosera austeridad con que el gobierno francés pretendía que se le sepultara, movió todas sus fichas diplomáticas para que el mariscal Pétain lo recibiera. En menos de doce horas —la premura era importante porque el entierro ya tenía fecha y hora—, Rodríguez, con la ayuda del cada vez más valioso Hans, había conseguido una audiencia, a las once de la noche, en la suite de hotel que entonces funcionaba como oficina del mariscal. El encuentro fue bastante parecido al anterior, con la diferencia de que Rodríguez sabía que Pétain ni era hombre de fiar, ni su gobierno gozaba de mucha autonomía. En esas condiciones, sin darle tiempo ni oportunidad de que explicara, o cuando menos tratara de matizar, la escasa solidez de sus compromisos, el embajador le dijo que ya que había conseguido boicotear el entierro, siquiera otorgara su permiso para que el féretro del presidente Azaña fuera cubierto por la bandera republicana española, porque a esas alturas ya el gobierno de Vichy había dispuesto que el féretro se cubriera con el pabellón franquista. El mariscal oyó con atención, luego se tomó su tiempo encendiendo un habano y al cabo de unas cuantas bocanadas comenzó a armar un circunloquio, un pretexto extenso, un monólogo necio e insostenible que iba encaminado hacia un no rotundo. Rodríguez lo interrumpió, no quería perder el tiempo oyendo ese no demasiado largo, que por otra parte estaba siendo pronunciado por un jefe de Estado que mandaba menos que obedecía. Lo interrumpió poniéndose de pie y diciéndole estas palabras, que al día siguiente repetiría durante la ceremonia fúnebre, frente a ese cortejo insuficiente que aparece en las fotografías: entonces lo cubrirá con orgullo la bandera de México, para nosotros será un privilegio, para los republicanos una esperanza y para ustedes una dolorosa lección.

Casi dos meses después, el 27 de diciembre de 1940, Luis Rodríguez volvió a reunirse con el mariscal Pétain, su misión en Francia había terminado. Los agentes de Franco y de la Gestapo habían conseguido inmovilizar su legación y, por otra parte, el general Cárdenas había percibido que su embajador comenzaba a correr peligro. Aun cuando Rodríguez no había logrado concretar ni una sola de las evacuaciones masivas, regresó a México, su misión, al final, había terminado siendo otra: su formidable talento diplomático ayudó a sobrevivir a los miles de refugiados que se acercaron a él con la ilusión de ser tocados por su aura protectora. *El embajador caminaba por las calles de Montauban como en un trance mágico, era un hechicero de frac ante el cual se doblegaban las fuerzas del mal,* dice Arcadi en una de las cintas. El proyecto de evacuar masivamente republicanos, esa misión imposible que le había encargado el general, había encontrado así, por esa vía que rozaba el encantamiento, una forma alternativa de hacerse posible.

El embajador se despidió del mariscal en una ceremonia breve, iba acompañado por sus dos secretarios, y Pétain, según muestra la fotografía testimonial, se había hecho acompañar por tres hombres y una mujer, todos de nombre y cargo desconocidos. La fotografía fue tomada en el momento en que Rodríguez dirigía al mariscal, que en ese instante buscaba algo disimuladamente con la mano en la superficie de una mesilla que tenía junto a él, sus palabras de despedida. La ceremonia tuvo lugar, como todas las de esa época, en una habitación de hotel. Al fondo, detrás de las personas que la integran, se ve la puerta del cuarto de baño abierta y una cama deshecha que tiene debajo un par de pantuflas. Después de la despedida Rodríguez y sus secretarios, debidamente pertrechados por sus inmunidades diplomáticas, viajaron a París para dejar el archivo de la legación, que durante los últimos meses había sido trasladado de hotel en hotel, en el sótano del edificio de la Rue Longchamp. Luis Rodríguez tenía 37 años cuando terminó su misión en Francia. A principios del año siguiente, el 15 de enero de 1941, recibió en la Ciudad de México, en su nueva oficina, un telegrama donde se le comunicaba que el gobierno francés acababa de distinguirlo como Comendador de la Legión de Honor.

Arcadi zarpó de Burdeos el 16 de octubre de 1940. Supo que su viaje estaba arreglado la tarde anterior mientras jugaba ajedrez y, como detalle premonitorio, se encontraba aplicando el primer jaque mate de su vida, que también sería el último, porque desde entonces no ha vuelto a jugar ese juego que sin remedio lo remite a Argelès-sur-Mer y a ese peregrinar lastimoso por Francia que estaba a unas horas de terminarse. El embajador Rodríguez tocó la puerta y sin esperar respuesta asomó la cabeza para pedirle a Arcadi que fuera a su oficina: tenía una propuesta que hacerle que seguramente iba a encontrar interesante. Después de tantos días dentro de esa habitación la propuesta del embajador, aun sin conocerla, le pareció feliz e inmejorable. Con ese ánimo caminó por el pasillo rumbo a su oficina y se acomodó frente a él, o más bien frente a su espalda, nervioso por lo que fueran a decirle. El embajador, como era su costumbre, comenzó a hablar mientras escribía, le dijo a Arcadi, que lo oía desde la orilla de su asiento, con los pies muy juntos y las manos batallando fuerte una contra la otra, que acababa de conseguirle un pasaje en un barco que iba a Nueva York, y además un poco de dinero para que de ahí tomara otro barco o un tren que lo llevara a México. Era lo mejor que podía conseguirle, dijo, y su voz salió ligeramente ensordinada porque lo había dicho encorvado, demasiado cerca del escritorio y además se encontraba rodeado por una nube de humo que atenuaba las cosas, las que podían verse y también las que podían escucharse. A cambio necesito que haga usted algo por mí, siguió diciendo y hasta entonces dejó de escribir y, con un movimiento ágil, quizá excesivo para ese hombre dado a la ceremonia, le dio la vuelta a su silla y se acomodó frente a Arcadi y le dijo, ahora con la voz ya libre de cualquier sordina, dándole la espalda al escritorio y a la nube: necesito que se lleve usted algo a México y que me lo guarde los meses o los años que haga falta. Arcadi se quedó mudo, la súbita noticia de su viaje acababa de procurarle un hueco en el estómago. Dejar Europa y la cercanía con España parecía tan descabellado como permanecer ahí, tan lejos de España. Aceptó, sabía que debía abordar ese barco, aun cuando se sentía completamente paralizado por el temor y la incertidumbre, y aunque el encargo que estaba a punto de hacerle el embajador fuera llevarse un cebú en barco y tren hasta los confines de Galatea. Rodríguez metió medio cuerpo debajo de su escritorio y de ahí sacó, e inmediatamente puso junto a los pies de Arcadi, una maleta negra enorme, la misma que permanecería veintitantos años en el fondo del armario de La Portuguesa. La maleta le pareció a Arcadi demasiado grande, pesada e inmanejable como un cebú. Son documentos y objetos personales de un personaje importante del gobierno de la república, dijo Rodríguez mientras se recomponía la corbata y se acomodaba nuevamente en su escritorio frente a la pared. Reanudó la escritura del documento y siguió con su explicación, parecía que las palabras que pronunciaba se activaban con las que escribía, una suerte de interdependencia donde el trazo activaba al sonido y viceversa. Primero explicó cómo pensaba trasladarlo hasta el barco que estaba atracado en un puerto de la zona ocupada. A Arcadi le pareció que se trataba de un operativo complejo con grandes márgenes para el fracaso y así lo dijo, pero el embajador lo tranquilizó haciéndole ver que se trataba de un procedimiento del que él mismo y sus secretarios echaban mano con frecuencia. Luego vinieron las instrucciones para la entrega de la maleta: debía llevársela a México y una vez instalado, en Galatea o en donde fuera, debía enviarle un telegrama con su dirección al secretario particular del general Cárdenas, que ya estaría al tanto del asunto. La maleta estaba cerrada con un candado y la llave la tenía el dueño, que por lo pronto se había instalado en Cuba. Su misión consiste en conservar esa maleta, cerrada y en buen estado, hasta que su dueño la recoja, no importa, le repito, que pasen meses o años, le dijo Rodríguez y después agregó, para tranquilizarlo con respecto a la legalidad del acto de cruzar el mar arrastrando ese cebú: la maleta lleva toda clase de inmunidades diplomáticas, no tiene usted de qué preocuparse, nadie va a preguntarle nada ni a pedirle que la abra. Al día siguiente Arcadi se enteraría de que no sólo la maleta viajaba con inmunidades: el secretario Leduc apareció muy temprano en la habitación 7 cargando un traje oscuro para sustituir las prendas escasamente diplomáticas que le había obsequiado Jean Barrières y un documento que lo acreditaba como funcionario especial de la legación de México en Francia.

El embajador Rodríguez escribía y bebía café cuando Arcadi entró a despedirse, el traje le quedaba grande y encima Leduc y uno de los refugiados habían tratado de ajustárselo con una serie de puntadas muy visibles y bastante torpes; el resultado general era la ilusión de que Arcadi en cualquier instante podía extraviarse dentro de su propia ropa. Va usted a llegar a Galatea hecho un príncipe, le dijo el embajador apenas lo vio entrar, y además tuvo la atención de dejar de escribir y de ponerse de pie frente a él. Arcadi pensaba que no había forma equitativa de agradecerle a ese hombre lo que había hecho por él, aun cuando en ese momento expresó su gratitud lo mejor que pudo, dijo unas cuantas palabras, según él, frías y bastante torpes. No tiene que agradecer, Arcadi, dijo el embajador abrazándolo con afecto pero también, supongo, sintiendo algo de piedad por ese muchacho catalán que iba a tratar de rehacer su vida en aquel pueblo selvático. Será mejor que se dé prisa, no pierda conmigo el tiempo que después puede hacerle falta, dijo separándose de Arcadi, y mientras le recomponía las solapas y el nudo de la corbata, lo tranquilizó diciéndole que seguramente volverían a coincidir algún día en México, como en efecto iba a suceder treinta y tantos años después, pero no de la forma en que en ese momento los dos imaginaban. Arcadi salió recompuesto aunque inclinado por el peso excesivo de la maleta, que era mucho mayor del que podía a simple vista atribuírsele; Leduc cogió una de las asas y así, con el peso repartido, cruzaron el pasillo, bajaron las escaleras y abordaron los tres el automóvil negro. Hicieron el trayecto hasta Burdeos sin más contratiempos que los habituales, un par de retenes donde un oficial, francés en el primero y alemán en el segundo, hizo preguntas y revisó sus documentos. Leduc había tomado la precaución de decirle a Arcadi que hablara lo menos posible y que de preferencia se limitara a responder con monosílabos; aunque el trámite se efectuaba en francés no quería correr el riesgo de que alguno detectara el acento catalán de Arcadi y concluyera, con toda justicia, que un diplomático mexicano que hablaba así constituía toda una irregularidad. Llegando a Burdeos fueron directamente al Matelot Savant, ese restaurante que desde la evacuación del doctor Negrín y su séquito se había ido convirtiendo en el punto nodal de las maniobras de evacuación del embajador Rodríguez. Los recibió el viejo matelot en persona y después de las formalidades, que se redujeron a la informalidad de un trago de whisky bebido de golpe y una serie de palmoteos en la nuca y en los hombros de Arcadi, los condujo a una mesa donde tres republicanos, una mujer y dos hombres, departían mientras llegaba la hora de abordar el barco. Buenas tardes, dijo Arcadi yéndose de lado por el peso de la maleta, y ligeramente escorado por el golpe súbito del whisky. La inclinación que llevaba hacía que su traje se viera más grande todavía, que él mismo se encontrara más al borde de la desaparición. Los republicanos le hicieron sitio en la mesa, habían llegado ese mismo día de París, luego de una temporada donde los tres, cada uno por su parte y con su propia historia, habían estado en vilo, con el futuro suspendido, permanentemente ocultos en una habitación, en un sótano, en una trastienda y también permanentemente en contacto, por carta o por la intermediación de civiles solidarios, con los diplomáticos de la legación mexicana que finalmente, como habían hecho con otros tantos, los habían salvado de las garras y las fauces y las armas y las órdenes de deportación de los agentes de Franco. Cada uno de los que departían en esa mesa tenía una historia de longitud y espesura similar a la de Arcadi, y ellos cuatro, que hablaban y bebían golpes de whisky y que celebraban el viaje que venía, no eran más que una parte mínima de esa multitud, de ese ejército, de ese país en trozos donde cada habitante tenía historias de longitud y espesura similar a las historias de ellos. Arcadi anotó en sus memorias una sinopsis del calvario por el que habían pasado sus tres compañeros de mesa, cada uno por su parte, cada quien en su sótano o en su trastienda. A cada uno le dedicó un par de páginas, tres en el caso de la mujer. Se trata de sinopsis minuciosas, de historias muy bien aprendidas porque se dijeron en aquella mesa y luego se siguieron diciendo a bordo del barco y después en el vagón del tren y al final cada uno se llevó tres historias más la suya, y quizá alguno de los tres haya escrito también una sinopsis de la vida de Arcadi, o haya dicho o siga diciendo, cada vez que alguien lo escucha, una de las versiones de su historia en un monólogo maniaco e interminable. Durante varios días, después de releer las memorias de Arcadi, estuve dándole vueltas a la idea de hacer algo con estas historias; el material que está ahí escrito es una tentación, son tres historias resumidas y perfectamente documentadas pero, concluí días después, no son nuestras, son las historias, de otros, y en una maniobra parecida a la del embajador Rodríguez, que salvó lo que pudo, a un refugiado de cada diez, o de cada mil, decidí, mientras pensaba que era imperativo viajar a Francia a hurgar en el sótano de la Rue Longchamp, que salvaría exclusivamente la historia que me define, la que desde que tengo memoria me perturba. Salvo la historia de Arcadi porque es la que tengo a mano, que es lo que hace uno siempre en realidad, lo que es factible hacer, salvar, amar, herir, dañar a quien se tiene a mano, los demás son la historia de otro.

El complot

Gracias al maestro Cano, ese viejo experto en asuntos diplomáticos de la Facultad de Filosofía y Letras, conseguí que me recibiera el cónsul general de México en París; el maestro había hablado con él por teléfono y él se había «mostrado encantado», según me dijo textualmente, de recibir a un investigador con tanto interés en el exilio republicano. ¿Aunque sea yo antropólogo?, le pregunté a Cano, porque me parecía un poco extraño entrar a un archivo histórico con esa facilidad. No menosprecie usted mi influencia, me dijo Cano divertido, y luego agregó: no va a dejar pasar usted esta oportunidad, ¿verdad? Unos días más tarde, como dije, ya iba yo a bordo de un avión rumbo a París, con una fotocopia de las memorias de Arcadi que había ido anotando en los márgenes y una libreta donde había ordenado mis dudas y los huecos que había percibido en las cintas de La Portuguesa. Me hospedé en un hotel que me consiguió el cónsul, una prueba más de la influencia que sobre él tenía el maestro Cano, y al día siguiente me presenté muy temprano en el edificio de la Rue Longchamp. El jefe del archivo, un hombre de setenta años que llevaba treinta en el mismo escritorio, me condujo hacia la zona donde estaban las cajas con la documentación del embajador Rodríguez. Usted perdonará el desorden, dijo al ver mi reacción frente a las pilas de cajas, y después se fue y me dejó husmear a mis anchas. Me tomó medio día orientarme en aquel mundo de oficios, documentos y cartas personales, pero tres días después había conseguido los datos que necesitaba para completar la historia. Llené dos libretas con cifras, datos y pasajes importantes de la gestión de aquel embajador heroico, sobre todo en los campos que tocaban el paso de Arcadi por Francia, hice listas minuciosas de lugares, de nombres, de compañías, de las ocupaciones temporales de los republicanos y de la proporción que éstos ocupaban como fuerza laboral en el país; todo eso puede averiguarse a partir de los documentos del embajador y yo, habituado por mi oficio a trabajar con los detalles, fui formando en esos cuadernos un perfil casi científico de la gestión de Rodríguez. En aquel universo de documentos encontré el acta que levantó la Gestapo la noche de la detención de Arcadi en Toulouse, aquella que pone Rotspanier en letras rojas grandes, y también encontré un dato que desconocía: con el acta viene un anexo de información sobre Arcadi en donde, entre otros datos, se especifica que es miembro del Partido Comunista, y se da un número de filiación, y que su padre y su hermano también lo son, y se dan otros dos números. Yo no sólo ignoraba esto, también había tratado el tema con Arcadi y él me había dicho que no pertenecía a ningún partido ni organización política, cosa que siempre me había parecido rara porque Bages, su amigo íntimo, recibía todo el tiempo correspondencia del partido y se carteaba con media docena de camaradas en Francia. Aquel dato, además de hacerme sentir engañado por mi abuelo, me hizo sospechar que había una parte de su historia que ignoraba.

El último día acepté una invitación a cenar que me hizo el cónsul: me había propuesto, a manera de despedida, que probáramos los caracoles que servían en Bon, un restaurante que, según la información que soltó mientras conducía su automóvil, que era desde luego negro, había sido diseñado íntegramente por Philippe Starck. El cónsul se había interesado desde el principio en mi investigación, le había sorprendido mucho que todo ese material histórico que llevaba años durmiendo en su sótano pudiera serle útil a alguien, además, claro, del maestro Cano, había dicho. Antes de aquella cena yo creía que su interés y sus continuas preguntas eran su forma de controlar todo lo que sucedía en su consulado, pero me equivoqué. Entramos al restaurante y nos sentaron en la parte alta, en una mesa desde donde teníamos un panorama completo del diseño de Starck, una jungla de formas plagadas de vértices que devoraba paredes, sillas, mesas y cubertería. Yo al señor Starck en mi casa le permitiría, como mucho, poner una lamparita, dije sin pensar que al cónsul podía gustarle mucho ese diseño. El cónsul se rió de buena gana y dijo que él, al señor Starck, no le permitiría ni eso y luego advirtió que esa jungla de vértices pasaría a segundo plano en cuanto llegaran los caracoles, como efectivamente sucedió. Mientras bebíamos un aperitivo y conversábamos de cualquier cosa, el cónsul, que a medida que se aproximaba su platillo de caracoles iba dejando de ser hombre robusto y se iba convirtiendo en gordo goloso, me pidió que lo llamara por su nombre, sin anteponer su rango, y eso me dio pie para preguntarle directamente sobre el interés que tenía en mi investigación. Muy simple —dijo—, mi abuelo murió en el campo de prisioneros de Vernet. Ése fue el punto de partida para la conversación que duró hasta que salimos de la guarida del diseñador Starck, luego de haber recorrido y comparado el historial de cada uno, y también la manera en que esa condición omnipresente de haber heredado una guerra perdida había interferido en nuestra forma de mirar el mundo. La conversación fue una tormenta, con sus periodos de calma cada vez que el cónsul, todavía más gordo, se abismaba en el sabor y en la textura de alguno de sus caracoles. Justamente después de probar uno, que a juzgar por el abismo en que cayó debió ser el mejor de la noche, dijo sin mirarme, mientras entresacaba con un instrumento largo hasta el último rastro de aquel manjar: ¿y nunca se te ha ocurrido visitar Argelès-sur-Mer? La pregunta me dejó helado, no por ella misma sino porque se trataba de una obviedad, de un trámite elemental en mi investigación que ni siquiera se me había ocurrido. Te lo digo porque yo estuve hace poco en Vernet, dijo, y entonces volteó a verme. Se limpiaba la boca con la servilleta y su doble acierto le había puesto los ojos brillantes, había dado en el blanco con su pregunta, luego de haber dado en el blanco con su instrumento largo. Yo empecé a darle vueltas a la posibilidad de hacer ese viaje y antes de que viniera el camarero a levantar la orden de los postres ya había decidido que ese viaje era una misión urgente que tenía que efectuarse al día siguiente. Me quedaba todavía una semana en Europa y decidí cambiar la visita que pensaba hacerle a Pedro Niebla en Madrid por esa visita a Argelès-sur-Mer que, desde la altura de aquella cena estupenda, se me antojó como un viaje de arqueología interior, una experiencia cuyos probables hallazgos me ayudarían a obtener un mejor perfil de Arcadi y, consecuentemente, de mí mismo. Al día siguiente cogí un avión que en menos de una hora me llevó hasta Perpignan, al sur de Francia. Caminé hasta la zona de taxis del aeropuerto y le pedí a uno que me llevara a Argelès-sur-Mer. El chófer, un viejo amable, trató de convencerme de que hiciera el trayecto en autobús, que iba a costarme la mitad y además había uno a punto de salir, pero yo no quería perder nada de tiempo, estaba impaciente por llegar y así se lo dije y él, que era un viejo amable, no insistió más. La carretera estaba vacía, era un jueves de enero, un mes flojo para los destinos turísticos que viven del sol y de la vida en la playa. El viejo era un parlanchín que me obligaba de cuando en cuando a responderle, cada vez que su pregunta exigía algo más que un ruido o un monosílabo de mi parte. Le contestaba distraídamente y lo atendía poco, quería meterme bien en el paisaje, en ese territorio donde pensaba que había algo mío. Tan convencido estaba de ello que entrando a Argelès-sur-Mer me sorprendió el poco efecto que la ciudad produjo en mí. Le pedí al chófer que me dejara en la zona de los hoteles, ya había visto al pasar dos que estaban cerrados, había olvidado que los hoteles de playa suelen cerrar durante los meses de invierno, pero el viejo amable me aseguró que habría algunos abiertos: en esta calle seguramente encontrará alguno, dijo. Déjeme aquí, le dije, para buscarme uno por mi cuenta y también para librarme de su cháchara, que empezaba a ser una verdadera interferencia. Caminé dos manzanas, cargando mi maleta, que era pequeña, y mi portafolios, que había engordado todos los días con fotocopias de documentos y notas que iba tomando. Trataba de decidir en qué hotel alojarme, había pasado tres que estaban abiertos y el mecanismo de elección que utilizaba era el de la simple vista, el que más me gustara, el que más me latiera, para usar esa expresión mexicana tan exacta, que integra la vista pero también la reacción que lo que se ha visto provoca en el corazón; una joya, en realidad, de la síntesis: lo que entra al ojo y da en el blanco y entonces provoca un latido. Hacía frío en la calle, y el viento del mar que estaba enfrente, a unos doscientos metros, exageraba el rigor de la temperatura. Al final de la segunda manzana que caminé, en la esquina, vi un hotel que estaba abierto y que me hizo detenerme y que me latió en el acto: era un edificio azul y viejo, de tres plantas, con un letrero grande que decía Cósmos. Entré a la recepción, que era espaciosa y llena de madera, y alquilé una habitación a un precio que resultó irrisorio en cuanto lo comparé con lo que me había costado la habitación en París. Eso me hizo pensar en que mi investigación empezaba a costarme demasiado cara y que a ese paso pronto liquidaría mi raquítica cuenta de ahorro de profesor de antropología. Dejé mis cosas en la habitación y salí a caminar, era temprano, no daban todavía las diez y el café con dos inmundos panecillos que me habían dado a bordo del avión me había quitado el hambre. Caminé hacia el centro de la ciudad, una maniobra de protección..., supongo, porque lo lógico, si es que efectivamente no quería perder nada de tiempo, hubiera sido tirar para el mar, meterme de una vez a la playa donde mi abuelo había estado prisionero durante diecisiete meses; la verdad es que me perturbaba tanto descubrir vestigios, muchos o pocos, como no descubrir ninguno; en el fondo sabía que mi Argelès-sur-Mer era el que me había heredado Arcadi, no era un territorio físico sino un recuerdo, una memoria con más de sesenta años de antigüedad, y esa memoria, que era la que yo trataba de reconstruir, difícilmente iba a coincidir con ese territorio físico que era sesenta años más joven. Con todo y que había optado por el centro de la ciudad porque ya intuía que en la playa me esperaba el desencanto, nunca esperé que la diferencia entre los dos Argelès-sur-Mer fuera así de brutal. Curioseando por las calles, donde el clima era más benigno que en la orilla del mar, di con el edificio del Ayuntamiento y, sin pensarlo mucho, me introduje y fui recibido por una señorita deseosa de ayudar a los visitantes. Para no desairarla y también porque sentía curiosidad, le dije que andaba buscando información de la ciudad, su historia, su composición socio-política, sus actividades preponderantes, esas cosas que suelen publicar las oficinas de turismo de las localidades. La señorita cogió un cuadernillo de un montón que tenía junto a ella y me lo obsequió, era un compendio de todo lo que esa ciudad, y sus playas,

ofrecían al turista, más una versión resumida de su historia. Salí del Ayuntamiento y me senté en un café a analizar la información, pedí algo de comer porque el espe-
jismo de plenitud que me había dejado el desayuno del
avión había desaparecido. Leí, con un desasosiego creciente, el capítulo donde se contaba la historia de la ciudad. Transcribo textualmente, traduciéndolo al vuelo del
francés, el primer párrafo: Situada en el Roussillon, a la
orilla del Mediterráneo, Argelès-sur-Mer es uno de los bal-
nearios más importantes de Francia. Su clima benigno y
su situación privilegiada, entre el mar y la montaña, atraen
cada año a más de doscientos mil visitantes. Luego de dos
o tres párrafos más donde se ensalzan sus hoteles, sus restaurantes y el tradicional cariño que prodiga a los turistas
su gente, viene la parte histórica, que arranca con los con-
des de Roussillon en el momento, siglo XII, en que los reyes de Aragón les arrebatan la ciudad y se quedan con ella.
Luego narran, más bien a brincos, la época en que la ciudad perteneció al reino de Mallorca y posteriormente su
regreso a la tutela de los reyes de Aragón. Más adelante
viene un salto hasta el siglo XVII, cuando por medio del
Traité des Pyrénées, Francia se queda con esa región que
había sido de España. Lo que sigue después de esta información es este párrafo: A principios del siglo XX, Argelès
no era más que una aldea rural como tantas otras, donde
la gente vivía de trabajar la tierra y de la artesanía. La moda
de las vacaciones de verano y el aumento del turismo sacaron a la ciudad de su somnolencia. Desde hace cuarenta años la ciudad ha experimentado un desarrollo considerable que se refleja, por ejemplo, en la ampliación de los
servicios de playa y en la construcción, en 1989, de Port-
Argelès. Me desconcertó la ligereza con la que el folleto pasaba de principios del siglo XX al año de 1989, y mi desconcierto fue mayor al voltear la página y encontrarme con

un gráfico histórico que registraba las fechas importantes del lugar. Transcribo lo que ahí se consigna, otra vez traduciendo al vuelo, a partir de finales del siglo XIX:

1892: Construcción de las primeras villas y chalets.
1929: Creación del Syndicat d'Initiative.
1931: Organización de los primeros torneos de tenis.
1948: 4.000 veraneantes en la playa.
1954: Inauguración del primer camping.
1962: La zona es elevada al rango de Estación de Turismo y Balneario.
1971: Creación de la Oficina de Turismo.
1989: Inauguración de Port-Argelès.

Del desconcierto pasé a la incredulidad y, bastante animado por un principio de indignación, salí del café y volé al Ayuntamiento, donde fui otra vez recibido por la señorita que, pese a sus deseos de ayudar, no pudo hacer mucho: lo más que hizo fue sacar un libro de título *L'Histoire d'Argelès-sur-Mer,* el texto original de donde habían extraído el resumen que le daba cuerpo al folleto. Me senté ahí, en una mesa con sillas que me señaló la señorita, y durante un buen rato revisé las páginas buscando algún vestigio de la estancia de los republicanos españoles en esa playa que hoy es un paraíso turístico del sur de Francia. No encontré nada, y tampoco encontraría ni un vestigio en la oficina de turismo que visitaría al día siguiente, ni en la página de Internet de la región del Roussillon por la que me puse a navegar esa misma noche, en mi confortable habitación del hotel Cósmos, aturdido por tantas cosas que en unas cuantas horas había visto y pensado. La historia oficial de Argelès-sur-Mer no registra que en 1939 había más de cien mil republicanos españoles en su playa, pero sí establece en su gráfico histórico, como uno de los puntos importantes del desarrollo de la comunidad, que en 1948 cuatro mil veraneantes disfrutaban de esa misma playa. Con ese ruido en la cabeza salí del Ayuntamiento y di media vuelta, cogí un taxi para no fatigarme, llevaba la intención de invertir el resto del día en recorrer la playa, los siete kilómetros completos, que había ocupado el campo de refugiados. Le pregunté al taxista, que aparentaba edad suficiente para saberlo, que si tenía idea de dónde había estado ese campo, que si podía decirme a grandes rasgos de qué punto a qué punto corría la alambrada que contenía a los prisioneros. Me dijo que la mayor parte de la playa estaba ocupada por ellos y que en un descampado que había entre un camping llamado L'Escargot y otro de nombre L'Étoile Déshabillée, había un pequeño obelisco conmemorativo. Le pagué y le di las gracias, me pareció reconfortante que alguien recordara ese capítulo extirpado de la historia de Argelès-sur-Mer. Me eché a caminar por la playa azotado a rachas por un viento frío, el mistral que tanto había hecho sufrir a Arcadi y a sus compañeros de desgracia, iba pensando que algún vestigio de esos cien mil hombres tendría que haber quedado, algo, lo que fuera, un trasgo, una cauda tenue, una presencia como la que seguramente había dejado don Luis Rodríguez en las habitaciones del hotel Midi que le sirvieron de oficina, o como la que dejó mi bisabuelo adherida a las paredes de la prisión Modelo de Barcelona, algo tenía que haber pegado a la arena, o a las rocas, o mezclado con el agua, cualquier cosa que sirviera de nexo entre esa playa y la playa que trabajaba en mí, un trozo de alambre, la huella de un spahi, las pisadas de la rata que le mordía el cinturón a Arcadi, la vibración, el trasgo, el fantasma de los miles de muertos que ahí hubo. Hacía frío y la playa estaba desierta, no había, naturalmente, turistas tirados de cara o espalda al sol y yo caminaba asombrado del paso implacable del tiempo, que había conseguido que esa arena donde los hombres se tiraban a morir, sesenta años después recibiera hombres que se tiraban ahí mismo, y cuyos cuerpos dejaban la misma marca en el suelo, para gozar de la vida y ponerse morenos. Caminé media hora sin detenerme acompañado por el vaivén del mar y por los golpes del mistral que con todo y abrigo me hacía estremecer, lo veía pasar furioso y golpear la arena y levantarle crestas, caminaba concentrado en todo lo que me rodeaba, en la arena, en las piedras y en el agua, buscaba vestigios, una presencia, cualquier rastro de los cien mil republicanos, iba aplicando mi olfato de antropólogo en cada palmo de aquel territorio, trataba de no distraerme con los clubes de playa y con los campings que alteraban el entorno con sus letreros estentóreos, uno detrás del otro se sucedían, parecía un complot para terminar de sepultar los vestigios que yo buscaba, Aqua Plage, Espace Surf, Club Mickey Tayrona, Central Windsurf, Le Jump, Club Center Plage, y mezclados con estos clubes de playa estaban los campings, de nombres más franceses y letreros menos estentóreos y con sus trailers largos, pocos por la temporada pero suficientemente visibles, L'Arbre Blanc, Bois de Valmarie, Le Bois Fleuri, Le Dauphin, Le Galet, La Sirene, Le Neptune, Rêve des Îles. Me detuve a mirar un letrero donde se explicaba que desde 1989, año en que, por cierto, se había inaugurado el Port-Argelès, en esa playa se aplicaba un tratamiento revolucionario de limpieza: se trataba del Meractive, un procedimiento ecológico antibacteriano inventado por el ingeniero J. M. Fresnel, cuyo palpable resultado era un *sable parfaitement nettoyé,* una arena perfectamente limpia, que le había granjeado, año con año desde el 89, la codiciada bandera azul de las playas limpias, el Pavillon Bleu des Plages Propres. Mi playa de Argelès-sur-Mer era un lodazal infecto donde abundaba el excremento, la tifoidea, la tuberculosis, los miembros gangrenados, los cuerpos en descomposición y en general el desconsuelo, el desamparo, la desesperanza y la derrota. Fui sorprendido por una lluvia súbita, rara para la temporada, que me empujó a refugiarme en uno de los clubes de playa donde, para justificar mi presencia chorreante, tuve que pedir una copa de calvados y oír varios temas del álbum que estrenaba en francés Enrique Iglesias, nuevamente me sentí asombrado del paso implacable del tiempo, que en sesenta años había logrado borrar la historia de los cien mil españoles que en 1939 habían sido encerrados ahí, a cincuenta metros de mi copa, y de los miles que habían muerto ahí mismo, en esa porción de arena donde caía la voz amplificada del cantante. Sentado y chorreante, bajo el amparo de esa banda sonora adversa, quizá ligeramente afiebrado, me pareció que esa playa, lo que esa playa había logrado borrar, tenía que ver con el episodio que me había tocado protagonizar en la Complutense de Madrid, con los alumnos de Pedro Niebla: en esa playa y en aquella aula había la misma voluntad de olvidar ese pasado oscuro y, en realidad, nada remoto. La lluvia pasó y dejó la arena húmeda, fangosa en algunas zonas. Aunque la copa me había infundido cierto ánimo, me sentía afiebrado y al borde del abatimiento, y sin embargo decidí que había que terminar con la playa ese mismo día, de una buena vez. Aunque había un andador de adoquín empecé a caminar por la arena, sorteando cuando se podía las áreas de fango e internándome en ellas cuando no había más alternativa, aunque se tratara de una falsedad flagrante porque el andador estaba permanentemente disponible a unos cincuenta metros de distancia, me empeñaba en caminar por ese lodazal que me trajo de golpe el recuerdo de las mierdas del Jovito, los lodos primigenios donde convivían la playa muerta y la viva, el desecho que a la vez era el principio de otra cosa, algo de alivio sentía al verme enlodados los zapatos, era una forma de acortar la brecha de sesenta años que separaba una playa de la otra, ahí estaba yo caminando en el lodo que, con la salvedad del Meractive, ese intruso limpio, era básicamente el mismo que le había complicado la vida a Arcadi y a sus colegas, ahí estaban el rastro y la presencia, algo tenía que haberse quedado adherido, las huellas, la derrota, el desamparo. Me sentí con fuerza para buscar el obelisco, ya sin fiebre y sin bruma de licor caminé con energía permitiendo que cíclicamente la séptima ola, más larga y con más lengua que las seis que la precedían, me mojara los zapatos, los calcetines y los pies, un permiso absurdo si se quiere, si se mira con distancia, y sin embargo ahí, en el ojo del huracán, parecía un remedio, un antídoto eficaz contra la amnesia de la playa. Así llegué al descampado que había entre L'Escargot y L'Étoile Déshabillée, empezaba a oscurecer, demasiado temprano por ser enero; seguí la senda que había, un camino sinuoso de arena flanqueado por matorrales y palmas enanas, lo caminé completo hasta que llegué a la carretera sin encontrar el monumento. Pensé que lo había pasado de largo y volví sobre mis pasos, era casi de noche y de cuando en cuando la selva de matorrales y de palmas era cruzada por el balazo del mistral, una ráfaga sólida que lo sacudía todo, incluso a mí, que ahora era más vulnerable a causa de mis pies mojados. A mitad del camino me detuve llamado por un objeto blanco, quizá nada más de color claro. Avancé en esa dirección abriéndome paso entre los matojos, pensaba que ese objeto debía ser parte del monumento y me equivoqué, ese objeto era todo el monumento que había, un poste que terminaba en pico pero que en forma alguna podía ser considerado obelisco, un poste enano como las palmas que lo rodeaban con una inscripción y unos cuantos nombres que leí con avidez sin reconocer ninguno, un poste olvidado, sepultado por el breñal, una ruina impresentable que logró conmoverme, su material cariado y su pintura leprosa eran a fin de cuentas un rastro y una presencia, le puse una mano encima y lamenté no llevar una flor o doce, busqué en las bolsas de mi abrigo y encontré que lo único que podía servirme era el bolígrafo, un instrumento estándar que había comprado en el aeropuerto de París y que sin más me arrodillé y clavé a los pies del maltrecho monumento, diciendo o no sé si nada más pensando: aquí dejo mi rastro y mi presencia.

De regreso en mi habitación me di un baño largo y reflexivo donde tomé algunas determinaciones, la principal era que tenía que moverme de ahí, estaba seguro que de no hacerlo las metamorfosis de la playa comenzarían a hacerme daño. Algo tenía de diabólica la idea del cónsul republicano, pensé que en mi próximo viaje a París tendríamos que intercambiar puntos de vista a la orilla de otro plato de caracoles. Mientras repasaba los sucesos del día, con una toalla echada en la cara para protegerme de la luz cruda del baño, recordé que en las cintas de La Portuguesa Arcadi había mencionado, en más de una ocasión, a su amigo Putxo, y se había referido a él porque era el único de sus conocidos que, luego de haber sufrido la experiencia del campo de prisioneros, en una maniobra donde había cierto masoquismo, se había establecido en la zona, muy cerca de Argelès-sur-Mer, se había casado y había montado un negocio y había tenido hijos y nietos franceses. Salí de la bañera con la toalla en la cintura y revisé la guía telefónica, encontré los números de los tres Putxos que había, uno en Port-Vendres, otro en Banyuls y otro en Cerbère, que era la localidad más lejana. Aunque era un poco tarde decidí que haría las llamadas para terminar cuanto antes con mi estancia en ese pueblo. En el número de Port-Vendres no había nadie y el segundo que marqué, el de Cerbère, fue contestado por el Putxo que andaba buscando. Me sorprendió la familiaridad con la que se refería a Arcadi, su colega de islote al que no vio durante décadas, y también que estuviera al tanto de su muerte, que acababa de ocurrir hacía entonces muy poco. Me contó que estaba retirado y que tenía una fábrica de muebles que manejaban sus hijos, un negocio próspero que les permitía a él y a su mujer una vida desahogada en la recta final, así dijo. Le expuse brevemente la serie de acontecimientos que me habían conducido hasta ahí y también le hice un resumen de mi desasosiego. Me propuso que lo visitara al día siguiente. Por lo poco que le había dicho se dio cuenta que yo ignoraba una parte importante de la historia de mi abuelo. De Putxo sabía lo que había quedado grabado en las cintas de La Portuguesa, que en una fuga masiva del campo de concentración lo habían alcanzado dos tiros en la clavícula y que lo habían dado por muerto y luego lo habían tendido en un cuarto junto a una docena de cadáveres y que un tiempo después, nunca supo si horas o días, se había levantado de su falsa muerte y se había ido caminando rumbo al sur.

A la mañana siguiente tomé el tren hacia Cerbère y luego un taxi hasta su casa, que resultó ser un caserón junto a la playa lleno de habitaciones vacías y con un salón enorme y acogedor, que parecía fincado en las aguas del Mediterráneo, donde ardía un fuego de leños que era una invitación para quedarse ahí cuando menos todo el resto del invierno. Putxo apareció en el salón, donde una criada me había indicado que esperara, traía el pelo húmedo de la ducha y su afeitada reciente, con su dosis de colonia, le daba un aire de jovialidad. No se parecía en nada a Arcadi, era más bajo y más grueso y de ojos oscuros y tenía una cabeza calva que era la antítesis de la melena blanca de mi abuelo; sin embargo había algo que los hacía semejantes, la forma en que hablaban, ciertos gestos, la manera en que puntualizaban ciertas frases con la mano abierta haciéndole un tajo al aire, pero sobre todo se parecían en los ojos, algo se arrastraba detrás de su mirada, muy al fondo la misma criatura se movía en los ojos de los dos. La criada que me había abierto la puerta apareció con una bandeja donde había dos tazas, una jarra de café, pan y un plato rebosante de embutidos. Pasó en medio de los dos y fue a instalar el servicio en una mesilla que había frente a la chimenea. El primer mordisco de fuet me abrió un apetito voraz y me hizo recordar que no comía en forma desde la cena con el cónsul. Cómetelo todo si te apetece —dijo Putxo—, a mí me queda estómago para desayunar café y algo de fruta si acaso. Después puso los ojos en el fuego y con su taza entre las manos contó, de manera elíptica y desordenada, las andanzas y las penurias que había compartido con Arcadi en el islote del campo de prisioneros. Junto al fuego de la chimenea, enmarcado por un ventanal enorme, se veía el mar; era una mañana fría y había tendida sobre el agua una bruma densa. Yo lo escuchaba atento mientras comía procurando, sin mucho éxito, disimular mi voracidad. Ya conocía la mayoría de las anécdotas pero había algunos pasajes que Arcadi no había mencionado, quizá porque no le parecían importantes, como uno donde aparecía el gran rabino de Francia compartiendo con ellos, durante más de un mes, el islote. ¿Nunca te contó eso?, preguntó Putxo al ver mi cara de extrañeza, y después agregó una frase que me hizo moverme hasta la orilla del asiento: pero si hablamos de esto la última vez que nos vimos. ¿Y cuándo fue eso?, pregunté. Putxo, ahora completamente seguro de que yo ignoraba una parte importante de la historia de mi abuelo, me narró la visita que le había hecho Arcadi en 1970, esa que en La Portuguesa había quedado registrada como un viaje a Holanda a comprar una máquina despulpadora de café. También me contó de las conversaciones que habían tenido y de los días enteros que Arcadi había pasado mirando el campo catalán desde un picacho en los Pirineos. Todavía faltaban cinco años para que muriera Franco y ese picacho en territorio francés era lo más cerca que Arcadi podía estar de España. Me pareció que esa imagen era la quintaesencia de la orfandad, del desamparo, sentí un golpe de melancolía y otro de rabia porque aquel dictador no sólo había destruido la vida de Arcadi, también, durante treinta y cinco años, le había impedido que la reconstruyera, como si perder la guerra y perderlo todo no hubiera sido castigo suficiente. Después de contarme eso Putxo se levantó y fue por un montón de fotografías, de donde fue sacando media docena de imágenes donde aparecían él y Arcadi en distintos momentos de aquel viaje. De la melancolía que me había producido Arcadi en el picacho pasé súbitamente a la molestia, por segunda vez en ese viaje no me gustó nada que mi abuelo me hubiera engañado de esa manera ni, sobre todo, que hubiera tantas evidencias de aquel engaño. Recuerdo una que me pareció especialmente flagrante: Arcadi aparece risueño, con el garfio en alto y una boina calada hasta las cejas, frente a una mesa de restaurante que comparte con Putxo. La fotografía fue tomada por un camarero, los dos amigos ocupan los extremos y en medio se ve la mesa, platos con restos de bichos marinos, una botella de vino casi terminada, la canasta de pan vacía, en fin, la imagen congelada en el preámbulo de los postres y de los licores digestivos. Lo que me ofendía de la imagen no era tanto su calidad de prueba de que nos había engañado a todos, sino la desfachatez alegre con que lo había hecho. Todavía no me recuperaba de la impresión cuando Putxo, decidido a regresar la historia a su cauce original, dijo: Supongo que tampoco estás al tanto de que tu abuelo era parte de un complot que montó en los sesenta la izquierda internacional.

Dejé atrás el fuego confortable y el platón de embutidos que no había podido seguir comiendo y me dejé llevar por Putxo, a bordo de su jeep, a la zona de la montaña donde había pasado Arcadi la mayor parte de su supuesta estancia en Holanda. Fui de piedra en piedra pensando en lo que acababa de revelarme Putxo y desde cada una miraba, la verdad muy conmovido, el campo catalán que Arcadi quería hasta el extremo de habernos engañado a todos. Caminé un rato por ahí resistiendo los empujones de un viento helado y disfrutando el olor intenso de la hierba que cubría a retazos la montaña. En una piedra específica, no puedo explicar por qué, sentí que había llegado al mirador de Arcadi, no había huellas ni rastro pero puedo jurar que sentí su presencia, y ahí, tocado por la enormidad del mar y de la tierra, decidí que seguiría el consejo que me había dado Putxo a bordo del jeep y que volaría cuanto antes a Burdeos, a buscar a la hija de Jean Paul Boyer, el matelot savant.

Cuando entré al Matelot Savant, ese bar de marineros que había sido clave en las operaciones del embajador Rodríguez y en la historia de mi abuelo, tuve la impresión de que era exactamente igual al que había conocido Arcadi sesenta y tantos años antes, quiero decir que parecía que el tiempo no había pasado dentro de ese bar, a pesar de que en la barra había una sofisticada máquina registradora con pantalla de ordenador y de que, de cuando en cuando, sonaba el teléfono móvil de alguno de los marineros que ahí bebían e intercambiaban las mismas historias de siempre. Marie Boyer, la hija del matelot que era rojo hasta las jarcias, había salido cuando llegué, pero el barman, que estaba al tanto de mi visita, me invitó a sentarme en una de las mesas y me sirvió un café con leche, que era lo que me apetecía. Pronto descubrí que el aire antiguo y sumamente clásico de ese bar de marineros se debía, en buena medida, a que no había ni televisor ni bocinas con música, que suelen ser las escotillas por donde irrumpe el mundo contemporáneo. En una pared del fondo, junto a una mesa donde conversaba un trío de lobos de mar, había una colección de fotografías con marco, ese recurso de los restaurantes de años con cierto prestigio que sirve como memoria de lugar y a la vez da confianza y algo de orgullo a los clientes que descubren que Gérard Depardieu, cuya foto en efecto estaba, comió ahí mismo, en tal mesa. Me acerqué a la pared pensando que era probable que hubiera una foto de don Luis Rodríguez o incluso de Arcadi, pasado de tragos, el día que abandonó Europa. Recorrí, con la taza en la mano, la colección de fotografías, además de Depardieu reconocí al futbolista Zidane, a Georges Moustaki, a Juliette Binoche y a Diego Rivera, que aparecía en blanco y negro de bombín, con su overol característico, abrazado a un hombre flaco y nervudo, de pelo blanco, que supuse debía ser Jean Paul Boyer, el legendario matelot. A cierta altura de la pared la visión de las fotografías se complicaba porque quedaban exactamente arriba de la mesa donde departían los tres lobos de mar. Una imagen de esa zona llamó poderosamente mi atención: era un grupo de hombres sentados en una mesa al aire libre y detrás de ellos había una selva

que me recordó en el acto a La Portuguesa. Me excusé
con el lobo que estaba justamente debajo y para molestar
lo menos posible estiré el brazo y descolgé la fotografía
para verla de cerca. Noté que al barman no le había gustado que la descolgara y que no había dicho nada porque
mi cita con la dueña del bar me situaba en un nivel distinto del que tenían los parroquianos comunes. Me alejé
de la mesa de los lobos para revisar la fotografía con tranquilidad. Lo primero que advertí fue que en el centro del
grupo estaba el hombre flaco y nervudo, más viejo que
cuando abrazaba a Diego Rivera, e inmediatamente después sentí una púa, un rejón, una daga entera en el estómago, al reconocer en esa jungla la selva de La Portuguesa
y junto a Jean Paul a Arcadi, todavía con brazo de carne y
hueso, y junto a ellos a Bages, a Puig, a Fontanet y a González, la alineación completa de los patrones de la plantación de café. Dejé mi taza en una mesa que había ahí cerca y me senté a contemplar esa imagen que descuadraba,
además de mi investigación, los referentes históricos de mi
familia y las coordenadas emocionales con las que había
crecido. Estaba en plena deriva frente a la foto cuando
sentí una mano en el hombro y oí una voz, la de Marie
Boyer, que decía: vaya forma de enterarte.

Pasamos a la trastienda, donde había un escritorio
y cajas con todo tipo de bebidas. Marie extrajo de un cajón del escritorio una cinta de vídeo donde había registrado las andanzas de su padre, una suerte de documental,
rodado originalmente en super 8 treinta años atrás, donde,
además del protagonista, aparecían Arcadi y sus socios en
La Portuguesa, cada uno dando su versión sobre aquel
complot de la izquierda internacional. Marie había rodado todo aquel material con la intención de hacer un documental en forma, pero la investigación y el montaje le
habían tomado demasiado tiempo: y para mil novecien-

tos ochenta y tantos que lo terminé —dijo sin nostalgia ni resentimiento—, pensé que era demasiado tarde, que las aventuras de un viejo comunista no podían interesarle a nadie. Después de aquella conclusión lapidaria que yo encontré bastante triste, Marie metió el vídeo a la máquina reproductora y salió de la oficina, me dejó solo y a merced de aquellas imágenes.

La Portuguesa fue fundada en 1946 por los cinco refugiados catalanes que habían coincidido en aquella mesa de los portales de Galatea. A partir de aquel menjul fundamental comenzó a trabajarse en ese proyecto que empezó siendo una extensión de cemento en medio de la selva donde se desecaban granos de café. La sociedad que ahí se formó tenía un equilibrio muy difícil de conseguir; Puig, ese hombre de Palamós que era calvo, miope y muy alto, y González, el individuo corpulento de barba roja, fungían como los hombres de oficina, eran los que llevaban las cuentas y planeaban las estrategias económicas de la plantación. Como contraparte Arcadi y Bages, ese barcelonés enorme e iracundo que había hecho la guerra en la batería de mi abuelo, eran los hombres de acción, los que salían a conseguir clientes y maquinaria y los que aprendían las diversas técnicas de cultivo de café que se utilizaban en la zona. El quinto era Fontanet, ese hombre bajito e hiperactivo al que yo conocía por fotos y que vi por primera vez en movimiento en el vídeo de Marie: era un rubio parecido al actor James Stewart, era el loco del grupo, siempre andaba metido en algún proyecto descabellado, era el único soltero, como ya dije, y tenía una resistencia sobrenatural para el alcohol y la parranda. Además de que las funciones de cada uno estaban perfectamente asignadas, aquel grupo funcionaba muy bien porque los cinco estaban hermanados, unidos de forma irremediable por la misma desgracia, y además los cinco compartían la certeza de que saldrían de aquella desgracia juntos; para ellos México no era el exilio sino el país donde estaban pasando una temporada antes de que pudieran regresar a España. Sobre todo esta última condición era la que los mantenía herméticamente unidos, no estaban ahí construyendo una casa para siempre, estaban como de viaje, un viaje largo e intenso si se quiere, pero desde luego una estancia temporal. Los cinco miraban su exilio con un sesgo cándido, con una ingenuidad del calibre de aquella con la que habían entrado a Francia, sintiéndose refugiados cuando todo a su alrededor indicaba que eran prisioneros de los franceses.

El año en que fundaron La Portuguesa la ONU emitió una condena contra el régimen de Franco y recomendó a todos los países que rompieran relaciones diplomáticas con España. La noticia fue celebrada en grande por Arcadi y sus socios, esa condena parecía el síntoma inequívoco de que Franco se iría pronto, por las buenas o derrocado por una coalición internacional, y la consecuencia de eso era que ellos podrían regresar a su país a rehacer su vida. Habían pasado, a fin de cuentas, muy pocos años, apenas siete, desde su exilio. La Portuguesa prosperó y comenzó a producir dinero muy rápidamente, el ritmo trepidante de trabajo de los cinco catalanes muy pronto dejó atrás al resto de los negocios de café de la región, que pretendían competir contra ellos sin modificar el compás relajado con que se trabaja en el trópico. Aquel negocio que crecía deprisa comenzó a ser visto por sus dueños como el capital que iban a llevarse a España una vez que Franco se fuera, incluso, durante esos años, empezó a discutirse la idea de construir sus casas dentro de la plantación de café, de urbanizar una zona del predio donde podrían vivir todos juntos con sus familias, que ya para entonces formaban una población considerable. La decisión que debían tomar sobre si se construían o no esas casas no era un asunto menor, ninguno perdía de vista que se construye una casa cuando se piensa permanecer mucho tiempo en un sitio, y no dejaban de pensar que, con toda seguridad, de un día para otro iba a llegar la noticia de que podían volver a su país. La esperanza fue debilitándose con el tiempo, no la esperanza de regresar sino la de regresar por esa vía idílica, la de la coalición de democracias que terminaría echando al dictador del poder.

En 1949 cierta información, no oficial pero bastante fidedigna, comenzó a ensombrecer el panorama; la habían recibido, cada uno por su parte, Bages y Fontanet, que seguían manteniendo contacto con colegas del partido comunista exiliados en Francia: dos bancos estadounidenses, contraviniendo la recomendación de la ONU, habían otorgado un par de créditos millonarios al gobierno de Franco. Para ese año ya se había resuelto la discusión sobre si se construían o no las casas en el predio de La Portuguesa, los cinco socios vivían ahí con sus familias y eso había cohesionado todavía más el negocio y también, de manera colateral, había originado una extraña comunidad de blancos que hablaban catalán en medio de una selva que había sido territorio indígena desde hacía milenios.

En 1951, en una pieza de información no sólo fidedigna sino hecha pública en los diarios de México y de todo Occidente, se anunció que España acababa de ser admitida en la OMS, y un año después, en 1952, se sumó la mala noticia de que España ya era parte de la UNESCO. A pesar de las evidencias de que el mundo comenzaba a aceptar la dictadura de Franco como un gobierno normal, la gente de La Portuguesa seguía pensando que el dic tador estaba por caer. Unos meses después del palo de la UNESCO llegó a La Portuguesa el palo definitivo, Arcadi y Carlota ya tenían para entonces tres hijas, y Laia, mi madre, era una muchacha de catorce años que hablaba un catalán canónico y un español mexicano perfecto, de ojos azul abismal como los de su padre y con una melena rubia que le llegaba hasta la cintura y que Teodora, que además de su criada era su antípoda, le cepillaba todo el día con un celo desconcertante. Antes del palo final, como preámbulo, llegó la noticia de que varias democracias de Occidente, desde luego con la excepción de México, comenzaban a abrir embajadas en territorio español, y unos meses más tarde, el 15 de diciembre de 1955, el locutor del noticiario radiofónico *Sal de uvas Picot* dijo una línea que situó de golpe en la realidad a los habitantes de La Portuguesa: A partir de hoy España es país miembro de la Organización de las Naciones Unidas. El locutor dijo esto y, como si hubiera dicho cualquier cosa, pasó a comentar los resultados del béisbol regional.

Esa misma noche los socios y sus mujeres se reunieron en la terraza de Arcadi. En un acto de digestión colectiva, envueltos en la humareda de los puros que se encendían para despistar a los escuadrones de zancudos y chaquistes, trataron de darle un encuadre positivo a esa noticia que, a fin de cuentas, no hacía sino reafirmar la situación de esas cinco familias que, en lo que esperaban a que Franco se fuera, habían invertido ahí muchos años y habían tenido hijos y levantado un negocio y construido casas y relaciones y afectos y eso parecía, a todas luces, el cimiento del porvenir. Pero ese encuadre se resquebrajó horas después, cuando ya las mujeres se habían ido a la cama y los republicanos, expuestos al whisky y al fresco de la madrugada y todavía fumando para defenderse de los escuadrones de insectos que atraía la luz eléctrica, empezaban a concluir que el porvenir estaba efectivamente cimentado pero no por su gusto ni porque así lo hubieran elegido ni deseado, sino porque el dictador que gobernaba su país no les había dejado otra opción. La noticia de la ONU había acabado con la posibilidad de que se fuera por las buenas y eso los depositaba en la otra opción que fue dicha por Fontanet en un silencio, dramatizado al máximo por la nota larga y tosca que producía una campamocha. Con un cabo de puro humeante retacado en el oeste de la boca dijo: Hay que matar a Franco. Nadie dijo nada y Puig, bastante preocupado por el significado de aquel silencio, se puso sus lentes de miope y echó mano de la botella de whisky para rellenar los vasos de sus colegas. Después Fontanet, desorientado por el silencio que sus palabras habían causado, se puso a hablar de manera festiva de un negocio con caballos percherones que acababa de cerrar con el licenciado Manzur, un prominente hacendado de la zona. Al día siguiente Arcadi salió temprano a chapear la selva, los socios se iban turnando para recortar todos los días los yerbajos y las raíces que se apoderaban del camino durante la noche, si no lo hacían La Portuguesa corría el peligro de quedar aislada del mundo, encerrada, sin vía de escape, por la maleza voraz; era un trabajo que hacían ellos mismos por disciplina, tenían la idea de que delegar todo el trabajo a los empleados, como era normal hacer en la zona de Galatea, iba volviendo inútiles a los patrones y sobre todo los iba distanciando del pulso de la casa y del negocio. No había actividad en la plantación donde no estuviera cuando menos uno de los cinco socios trabajando cuerpo a cuerpo con los empleados. Arcadi trozaba a machetazos los brotes, las ramas y las raíces que comenzaban a desdibujar el camino, cuando Bages, que era de todos con quien tenía más cercanía, salió de entre la maleza como un oso gruñendo cosas ininteligibles y con facha de haber dormido mal, y le dijo que llevaba toda la noche dándole vueltas a la idea de Fontanet y que estaba dispuesto y se sentía capaz de viajar a España para matar a Franco, y que además la sola idea lo hacía sentirse extraordinariamente vivo y con la sensación de que, por primera vez desde que habían perdido la guerra, tenía en sus manos el timón de su vida. Arcadi había llegado por su parte a la misma conclusión, así que unas horas después se reunieron en la oficina de la plantación con Puig y González, que eran la parte conservadora del grupo. González, fumando y sudando copiosamente, mesándose la barba roja con cierta desesperación, enumeró una serie de argumentos contra la idea de Fontanet, una filípica sobre la necesidad de asumir, de una vez por todas, que nunca regresarían a España y que los cinco morirían de viejos en La Portuguesa, una idea que a todos deprimió, incluso a Puig, que mientras se quitaba y se ponía nerviosamente las gafas de miope, y caminaba de allá para acá flexionando exageradamente sus piernas demasiado largas, trataba de apoyar la filípica de González sin mucha energía, tan poca que bastó una frase de Bages para convencerlo y dejar a González en una desventajosa minoría: no me da la gana de que Franco se salga con la suya, dijo, y después golpeó la mesa con un manotazo que mandó al suelo un bote con lápices, una taza vacía y una máquina de escribir. A González no le quedó más que alinearse con sus socios, en el fondo no le disgustaba la idea de cargarse al dictador.

Dos semanas más tarde, Arcadi, Bages y Fontanet, a bordo del automóvil descapotable de este último, viajaron a la Ciudad de México para entrar en contacto con un grupo de republicanos que tenía la misma inquietud y que, según se había enterado Bages por sus colegas exiliados en Francia, ya había avanzado parte del camino y tenía contactos que ya trabajaban en Madrid. La reunión inicial fue en un café de la calle Madero, en el centro de la ciudad, al que Arcadi, que había hecho todo el viaje en el asiento trasero del descapotable, llegó con el pelo revuelto y los ojos enrojecidos por el viento de la carretera. Detrás de él venía Bages diciéndole con grandes aspavientos y gruñidos que su peinado era impresentable, y comandando la incursión iba Fontanet, impecablemente vestido con una americana amarilla y golpeándose la palma de una mano con los guantes de conducir que sujetaba con la otra. Buenas tardes, dijo Fontanet, dándose un último golpe de guantes en la palma. Sus interlocutores eran un hombre y una mujer que, según dice Bages en el vídeo de Marie Boyer, eran personalidades destacadas dentro del exilio republicano. En aquel café se trataron generalidades, la pareja sometió a los tres de La Portuguesa a una especie de interrogatorio y al final los invitó a una reunión que tendría el grupo completo, esa misma noche, en un piso de Polanco. Las preguntas de la pareja de exiliados prominentes los habían dejado desconcertados pero todavía con suficiente ánimo para llegar a la reunión nocturna, que no fue en un tugurio clandestino y oscuro como esperaban, sino en un penthouse rodeado de ventanales que daban al bosque de Chapultepec. El sitio, más lo que ahí se trató, terminó de desconcertarlos. Había una veintena de personas de todos los pelajes, junto a los exiliados republicanos departían personajes del Partido Comunista Mexicano, un líder del Sindicato de Trabajadores, una pareja de empresarios cuya función no quedaba muy clara y un senador en funciones del PRI cuya presencia no había manera de explicar. Aun cuando se trataba de un proyecto bastante articulado, que contaba, por ejemplo, con un itinerario detallado, día por día y hora por hora de los movimientos rutinarios del general Franco, algo tenía ese grupo de caótico, de poco convincente, que los hizo desistir; los tres habían salido del penthouse con la impresión de que se les había invitado exclusivamente por el dinero que pudieran aportar. Si esto lo vamos a pagar nosotros —dijo Fontanet en cuanto abandonaron el edificio—, prefiero hacerlo a nuestro aire, y dicho esto se golpeó otra vez la palma de la mano con los guantes de cabritilla. De regreso en La Portuguesa, de aquel viaje que oficialmente había sido la participación de los tres en las Jornadas del Café que habían tenido lugar en un auditorio de la ciudad, el proyecto comenzó a enfriarse y fue convirtiéndose, poco a poco, en una cosa latente de la que se hablaba con frecuencia cuando se quedaban los cinco solos en esas madrugadas de whisky, puro y nubes de zancudos en la terraza de alguno, pero poca cosa más, finalmente aquella reunión caótica en Polanco los había asustado un poco, ahí se dieron cuenta de que para asesinar al dictador se necesitaba un ejército perfectamente coordinado, repartido entre México y Madrid, que rebasaba con mucho sus posibilidades.

El negocio de La Portuguesa seguía viento en popa, su plantilla de empleados había aumentado espectacularmente y las familias de éstos, que se afincaban en los alrededores de la plantación, comenzaban a formar la comunidad que, con los años, se convertiría en un pueblo satélite de Galatea, que ya para entonces, gracias a una enmienda constitucional que había improvisado el gobernador de Veracruz, gozaba de un anexo, una especie de apellido que se escribía siempre junto al nombre original: Galatea, la Ciudad de los Treinta Caballeros. Para 1960, la mayoría de los hijos mexicanos de los exiliados catalanes estaban en edad de entrar a la universidad y empezaban a emigrar a Monterrey o a la Ciudad de México, y algunas de las hijas ya se habían casado y en La Portuguesa comenzaban a nacer los primeros nietos, una prole de criaturas mestizas que ahondaban, una generación más, las raíces que inevitablemente seguían echando los republicanos en el país que los había acogido. Las ventajas productivas que tenía el aumento en la población de trabajadores de la plantación comprendían también un germen de descontento social que comenzó a hacerse grande y a volverse un punto de choque permanente entre los empleados y los patrones, los unos comenzaron a sentir como una afrenta las posesiones de los otros, que vivían ahí mismo en sus casas grandes, separados por una alambrada de las casas chicas de ellos. Ese enfrentamiento que lleva siglos en México y que se agrava cuando los otros son extranjeros y blancos y tienen más que los unos, que llevaban siglos siendo pobres en ese mismo suelo.

A mediados de 1961 el líder de los trabajadores exigió más de lo que podía dársele y se embarcó en una revuelta que no prosperó porque no contaba con el apoyo de todos los empleados, pero sí generó una tarde violenta, destrozos en la maquinaria y un incendio, y también una escaramuza donde Arcadi y González, además de llevarse una buena dosis de golpes, fueron conducidos, junto con el líder, a la prisión municipal de Galatea. El encierro duró poco, unas horas, en lo que el abogado del negocio pagó la fianza de los tres detenidos, y sirvió para que se generara una amistad entre el líder y Arcadi, cosa que González, que había presenciado todo, reprobó con dureza, y con esa desesperación que lo llevaba a transpirar y a mesarse la barba roja con demasiada energía, en la junta que celebraron al día siguiente los socios. La conversación con el líder, de la que Arcadi hizo un resumen puntual mientras se tocaba cada dos por tres un parche que tenía en el pómulo, había versado sobre la posibilidad de conseguir apoyo logístico para matar al dictador español. En aquella junta Puig se alineó con González, no sólo le parecía un despropósito revivir el proyecto del magnicidio, sino revivirlo gracias a las alucinaciones de ese líder sindical a quien, encima, le habían pagado su fianza, y todo esto lo dijo con sus gafas en la mano, tratando de enfocar a sus socios con su mirada extraviada de miope. Como ya empezaba a ser costumbre en ese rubro Puig y González perdieron por mayoría y además, una vez que analizaron detenidamente el nuevo proyecto, se dieron cuenta de que no era ningún despropósito. El líder sindical pertenecía al Movimiento Independiente de Río Blanco, la fracción veracruzana de un movimiento mayor, de alcance continental, que se llamaba Izquierda Latinoamericana y que entonces tenía el objetivo específico de combatir a la Alianza para el Progreso, el programa militar, disfrazado de programa social, que había implementado el presidente Kennedy para sofocar los brotes de la izquierda en el continente. Unos meses más tarde, a principios de 1962, llegaron a La Portuguesa, invitados por el líder, dos cabecillas de Izquierda Latinoamericana, un colombiano barbado y siniestro que respondía al nombre de Chelele, y un catalán de apellido Doménech, que parecía un cristo de ojos verdes vestido de militar. Este último era un republicano que había llegado a México a finales de 1939, procedente del campo de Argelès-sur-Mer, y que sin perder el tiempo se había integrado a las filas de la guerrilla veracruzana. A fuerza de sangre fría y algunos méritos criminales había logrado ascender a los altos mandos de la izquierda beligerante, poseía una destacada condición de animal de guerra, según apuntó el Chelele, lleno de admiración por la carrera fulgurante de su colega, a la hora del menjul. Doménech no sólo sabía quiénes eran Arcadi y sus socios, también estaba al tanto de su proyecto magnicida, y había ido a La Portuguesa con la intención de entusiasmarlos para que viajaran a Múnich, donde iba a celebrarse el Congreso del Movimiento Europeo, cuyo tema central era analizar de qué manera podían echar a Franco del poder. Ignoro qué pretexto habrá esgrimido Arcadi para hacer ese viaje a Alemania, supongo que también algo relacionado con el negocio del café. Mi abuela y las demás esposas daban por hecho que la perspectiva de regresar a España había quedado sepultada después de la noticia de la ONU. Arcadi, Bages y Fontanet volaron a Alemania, mientras Puig y González se quedaban al frente del negocio, cubriendo la retaguardia, ya plenamente convencidos de que el proyecto no era para nada un despropósito. Ya entonces el régimen franquista había motejado el evento, con bastante mala leche y también con algo de temor, como El Contubernio de Múnich. Lo que ahí se dijo y se acordó está perfectamente documentado, así como las represalias que tomó Franco contra los asistentes que le quedaron a tiro. La noche de la clausura, cuando Arcadi y sus socios cenaban en el restaurante de su hotel y hacían planes para el día siguiente, que sería el último que pasarían en la ciudad, se acercó un individuo al que reconocieron en el acto, un francés que había participado activamente en las rondas de discusión. Lo invitaron a sentarse y a compartir con ellos el café y los licores digestivos. El francés, que hablaba el castellano con un fuerte acento, comenzó a hacer una revisión de lo que se había tratado en el congreso, una revisión deportiva y ligera que pretendía desencadenar una conversación. La mesa se animó rápidamente, al tema del congreso se sumaron anécdotas de La Portuguesa, de la posguerra en Francia y una ronda más de copas y unos puros. Después de la primera calada, Bages, con un puro que se veía ridículamente pequeño en su mano monumental, apuntó que no le encontraba sentido a fumar si no había que defenderse de una nube de zancudos, e inmediatamente después despanzurró el puro completo contra el cenicero. Arcadi fumaba y bebía su copa en un estado de mudez que contrastaba con el ánimo festivo de los demás y que llevó a Fontanet a preguntarle un par de veces si se encontraba bien. Bages se interesó por los motivos que había tenido el francés para aprender castellano y el francés no desaprovechó el pie que se le daba para hacer un recuento de su participación, primero con el partido comunista y posteriormente en solitario, en las redes de solidaridad que se organizaron para socorrer a los refugiados españoles después de la guerra, y luego empezó a contar las peripecias que había hecho con los diplomáticos mexicanos para sacar al doctor Negrín del país; y entonces fue cuando Arcadi, completamente sorprendido, cayó en la cuenta de que ese hombre, cuyo rostro le había parecido familiar desde el primer momento, era el del matelot savant, el dueño de aquel bar en Burdeos donde veintidós años atrás se había despedido de Europa. Antes de irse a sus habitaciones dieron un paseo por los jardines del hotel, era una noche cálida de junio todavía con sol al fondo. La conversación, que llegaba a su punto culminante mientras caminaban los cuatro por un sendero de pinos que bañaba un rayo anaranjado, cayó donde, a esas alturas, era inevitable: matar a Franco. El matelot y sus colegas llevaban años trabajando en ello, operaban directamente con un comando en Madrid y ya habían hecho un intento que había fallado por una minucia que tenían perfectamente identificada.

Durante el vuelo de regreso a México, luego de un prolongado brindis con champán que organizó Fontanet por «la inminente muerte del dictador», los tres socios tuvieron la oportunidad de establecer sus posiciones. Fontanet estaba dispuesto a viajar a Madrid y a pegarle él mismo un tiro en la cabeza a Franco; Bages ya no estaba seguro de querer viajar a Madrid pero tenía muy claro su compromiso y estaba convencido de que era necesario meterse hasta el cuello para conseguir su objetivo. Arcadi era el que tenía más dudas, desde luego quería matarlo pero le parecía que no había que comprometerse tanto, que su participación podía ser exclusivamente económica, proveer de medios y dinero a un matón como el Chelele para que se encargara del trabajo. ¿Y eso qué chiste tiene?, preguntó Fontanet, y luego recargó la cabeza en la ventanilla y se quedó dormido. Bages recuerda, en el vídeo de Marie Boyer, que Arcadi no pegó el ojo en todo el viaje y que, a partir de entonces, su relación con el proyecto empezó a ser menos apasionada, más cauta, quizá lo afectó lo que oyó en Múnich o la reaparición del matelot en su vida o quizá nunca estuvo muy convencido del magnicidio y se iba acobardando a medida que el plan se concretaba, y aunque llegó hasta donde tenía que hacerlo, no sé qué tanto jugó su voluntad en aquel proyecto, ni qué tanto se dejó arrastrar por la voluntad de los otros, la misma duda que planea sobre aquel 11 de enero de 1937, el día que empezó su guerra y la nuestra. Nunca he sabido qué tanto influyó la voluntad de su padre en la suya, qué tanto creía Arcadi en la república: qué clase de rojo era.

Aquel encuentro en Múnich no había sido ninguna casualidad, el matelot había sido avisado por Doménech de la presencia de ese trío que era la clave para el operativo que llevaban años fraguando: vivían en Veracruz, cerca de la zona de rejuego de Izquierda Latinoamericana, tenían mucho dinero y una propiedad enorme y su interés por matar a Franco no se había contaminado con el resto de los grupos que en México pretendían lo mismo. En la opinión de Doménech aquellos grupos difícilmente iban a conseguir su objetivo, porque las facciones de izquierda, más los diversos clanes que habían formado los republicanos, los tenían paralizados, sin ninguna operatividad para echar adelante su empresa. Esa asepsia que percibían Doménech y el matelot en el grupo de La Portuguesa tenía también un lado inconveniente: se estaban embarcando en una empresa magnicida con cinco individuos que llevaban más de veinte años metidos en la selva, prácticamente aislados del mundo.

En noviembre de 1963 llegó el matelot a La Portuguesa y se instaló, naturalmente, en casa de Arcadi. Venía de La Habana muy contento porque había conseguido un donativo millonario de José Cabeza Pratt, el ex agente de compras de armamento de la república que había levantado un imperio económico en Cuba y que, unos años más tarde, caería en Galatea con los Leones de Santiago, su invencible equipo de béisbol. Cabeza, que llevaba veinte años patrocinando proyectos para matar al dictador, había encontrado el de ellos sumamente atractivo, pues además de que hacía dos décadas que su maleta negra reposaba en La Portuguesa, al año siguiente Franco cumpliría veinticinco años en el poder y qué mejor regalo que darle un poco de candela, había dicho el matelot imitando el acento de catalán del Caribe con que se expresaba el ingeniero. Por esas fechas Laia ya había terminado la universidad, se había casado con mi padre y se paseaba por los cafetales con una panza de ocho meses de embarazo. Arcadi se puso todavía más nervioso cuando se enteró de que aquel encuentro con el matelot en el hotel de Múnich no había sido una casualidad, como lo había revelado el mismo matelot, con una ligereza desconcertante, luego del primer menjul de bienvenida que había ofrecido Bages en la terraza de su casa. Con la excepción de los cinco socios y del líder sindical, el matelot era para todos un experto cafetalero francés que inspeccionaba la región en compañía de Doménech y el Chelele, otros dos personajes expertos en el mismo negocio. Según plantea Bages en el vídeo de Marie, era la inminencia del nacimiento de su primer nieto lo que más desequilibraba a Arcadi la llegada de la siguiente generación de sus descendientes lo hacía revalorar su vida en La Portuguesa, todo lo que había construido, su vida ordenada y apacible que el magnicidio pondría en riesgo, en jaque; además Arcadi había comenzado, cada vez con más insistencia, a formularse una pregunta: y si matamos a Franco y se nos abre la posibilidad de regresar a España, ¿seré capaz de dejar todo esto y regresar? A esas alturas, a finales de 1963, Arcadi había pasado más de la mitad de su vida en esa selva que, súbitamente, sacudido por la posibilidad de irse de ahí, empezaba a considerar como su verdadero hogar. Arcadi trató este tema, que lo tenía permanentemente malhumorado y taciturno, en las oficinas de la plantación; cuando González vio hacia dónde iba el discurso de su socio comenzó a apoyarlo con demasiada vehemencia, manoteaba, fumaba y vociferaba con tal energía que terminó por desarticular e interrumpir el planteamiento de Arcadi, y además dio pie para que la reunión cambiara de rumbo hacia una noticia que Fontanet quería comunicar y que una vez dicha dejaría a Arcadi sin manera de reinsertar su discurso; Bages y él venían de Orizaba, donde habían conseguido una cantidad importante de dinero, donada por otro grupo de republicanos, que serviría para redondear las finanzas del proyecto. Esto lo dijo Fontanet, que se había sentado con la silla volteada, con el respaldo al frente, y luego se había sacado el puro de la boca y había lanzado al piso, de manera despectiva, un escupitajo de tabaco, exactamente igual que lo hubiera hecho James Stewart.

Dos años antes, en 1961, el Chelele, el guerrillero colombiano que había llegado con Doménech, había asestado un duro golpe a la Alianza para el Progreso del presidente Kennedy. Ramón Hernández, alias el Cochupo, destacado y carismático político de Barranquilla, había sido elegido por la Alianza para ser llevado, a como diera lugar, a la silla presidencial de Colombia. A cambio de la presidencia el Cochupo había pactado todo tipo de arreglos, siempre ventajosos para los Estados Unidos, con los estrategas de Kennedy. Faltaban meses para que se revelaran los nombres de los candidatos cuando el Cochupo ya despachaba en su oficina a todo lujo y se paseaba por las calles de Barranquilla con una escolta de agentes estadounidenses que lo protegían. El Chelele, alertado por unos colegas del servicio secreto cubano, había detectado la operación desde el principio y, de acuerdo con la comandancia de Izquierda Latinoamericana, había decidido terminar de una vez con ese problema que irremediablemente iba a brotar en el futuro. La manera de hacerlo había puesto en contacto al Chelele con Doménech, que era entonces el encargado de explosivos en la comandancia de Río Blanco, en Veracruz. Doménech lo había aprendido todo de un experto que había mandado el Ministerio de Guerra de la Unión Soviética, un comunista valenciano que se había refugiado en aquel país después de la Guerra Civil y que había diseñado la mina en serie, un filamento imperceptible, de diez o veinte metros de largo, cargado de puntos de explosivo plástico que era capaz de volar un automóvil en movimiento con un margen de error mínimo. Doménech y el experto valenciano habían producido una mina en serie en el laboratorio de Río Blanco y, en un operativo que rayó en la perfección, se habían cargado al alcalde de Coatzacoalcos, que ya empezaba a negociar con los estrategas de la Alianza que tenían especial interés en controlar ese enclave petrolero. Cuando el valenciano regresó a la Unión Soviética, Doménech se convirtió en el único diseñador de minas en serie del mundo occidental. El golpe de Barranquilla, un bombazo brutal que esparció pedazos del Cochupo, de sus escoltas y de sus dos automóviles a más de cien metros de distancia, le valió a Doménech su ascenso a la comandancia de Izquierda Latinoamericana. Por su parte Jean-Paul Boyer, el matelot, había tenido contacto con Doménech durante su estancia en el campo de prisioneros, y posteriormente había seguido su brillante trayectoria en la guerrilla mexicana. Luego de que fallara el primer atentado contra Franco, una pifia en la fórmula que había dejado al explosivo mudo, el matelot había hablado con Peter Schilling sobre la conveniencia de trabajar con Doménech para el siguiente atentado. Schilling era el director de una compañía alemana de medicinas que tenía su principal laboratorio en Madrid, un parapeto que le servía para ocultar su verdadera labor, que era la de coordinar y llevar a feliz término el atentado contra Franco. Schilling había sido agente doble durante la ocupación alemana en Francia, era el jefe de inteligencia de la embajada del Reich pero también, a título personal y por razones que hasta hoy no he podido descifrar, se ocupaba de proteger a los republicanos que eran asediados por sus propios agentes. Peter Schilling, cuyo nombre seguramente no era éste, es el hombre que aparece en los archivos del embajador Luis Rodríguez con el alias de Hans, era el alemán misterioso que estaba al tanto de todos los movimientos de la legación mexicana y que admiraba, o cuando menos así lo parecía, el talento de comer vidrio que tenía el secretario Leduc. Schilling era, en ese año de 1963, la cabeza del complot que pretendía matar a Franco, el fue quien financió los viajes del matelot y quien dio su beneplácito para reclutar a Doménech y a los cinco rojos de ultramar que vivían en La Portuguesa. Arcadi y sus colegas no alcanzaban a percibir que estaban metidos, de pies a cabeza, en un complot de la izquierda internacional, no podían saberlo porque ni Doménech ni el matelot les habían dado toda la información.

Durante la comida de Navidad de ese año Arcadi pudo contemplar de bulto el lío en el que se estaba metiendo. La comida era un acontecimiento, rigurosamente pagano, que se hacía para no desentonar con las fiestas de la localidad, ésas sí con lujo de rezos, con sus niños dioses ocupando el lugar de honor y animadas por la música que repartía la rama por todas las casas de la selva. La rama era un grupo de cantantes espontáneos que, a cambio de unas monedas, una cerveza o un vaso de guarapo, cantaban, de puerta en puerta, piezas coloniales, llenas de vegetación y frutas jugosas, al tiempo que blandían una rama de árbol decorada con esferas y listones de colores. La comida de Navidad de Arcadi era una celebración íntima, acudía su familia y el servicio de la casa, nada más, era una comida anual donde los empleados se sentaban en el comedor y se contrataba una tropa de camareros, siempre resacosos por los excesos de la Nochebuena, que durante ese día se encargaban del trabajo de la servidumbre. Aquel 25 de diciembre de 1963 estaban dispuestos en la mesa todos los elementos del lío que tenía a Arcadi permanentemente taciturno. Estaba su mujer, sus hijas, sus trabajadores, mi padre y Laia con su hijo recién nacido en los brazos. Contrapesando esa alineación estaban, salpicados entre aquella intimidad, el matelot, que ahí se hospedaba y que desde una semana antes ya festejaba ruidosamente los preparativos de la cena; el Chelele, que acometía sus trozos de lechón como si estuviera batiéndose contra un estratega de Kennedy; y Doménech, cuya facha crística acaparaba las miradas de la servidumbre y que cuando pinchaba un piñón o espulgaba una ciruela para extirparle el hueso, hacía pensar a Arcadi que estaba removiendo los intestinos de una bomba. La comida transcurrió en relativa calma, si se descuenta el guirigay alrededor de los festejos religiosos que intercambiaban el matelot y sobre todo Doménech, que era técnicamente un comecuras, y en ese tenor se puso a contar una serie de anécdotas, llenas de mecagoendiós, mecagoenlavirgen y risas explosivas, que hacían santiguarse continuamente a Jovita, a Teodora y al resto de la servidumbre. Los dos mundos que convivían en esa mesa tenían como único referente común a Arcadi, que pertenecía a uno y a otro pero también se daba cuenta de que eran mundos incompatibles, y él tenía muy claro a cuál pertenecía entonces. Seguramente en aquella mesa había empezado a formularse esa idea de que otro, y no él, había peleado la Guerra Civil. El final de aquella comida quedó marcado por un suceso en el que Arcadi detectó un mal fario irremediable, según dice él mismo en el vídeo con una compunción verdaderamente tierna. El escándalo que hacía un perro afuera dejó a la mesa súbitamente en silencio, Jovita reconoció antes que nadie que se trataba del *Gos,* el perro de la casa, y además anticipó que iba a pelearse, con otro perro, supuso, y apenas lo estaba diciendo cuando el *Gos* irrumpió en el comedor perseguido por un tigrillo que cruzó de un brinco la mesa entera y cayó del otro lado con las zarpas desplegadas y en posición para arrancarle la cabeza a su adversario. Arcadi brincó, los animales se habían detenido junto a él y él trataba de alejarlos de ahí protegiéndose con las patas de su silla, pero su maniobra distrajo al *Gos* y el tigrillo aprovechó para plantarle un manazo que le hizo tiras un cuarto trasero y le sacó un borbotón de sangre que manchó al instante su pelambre blanca. Arcadi iba a intervenir, todo esto pasaba en cuestión de segundos, cuando el Chelele pegó un brinco también felino por encima de la mesa y fue a caer en medio de la batalla de las bestias, en una posición tal que dejó acorralado al tigrillo entre un sillón y una mesita de café. Con un movimiento relampagueante, el colombiano le clavó en el morro la punta de su bota, donde relumbraban los tallones de más de una guerrilla. El tigrillo huyó volando por una de las ventanas. La mesa siguió sumida en el mismo silencio que había, no más de treinta segundos atrás, cuando la corretiza había interrumpido la suposición de Jovita. El Chelele se limpió, en sus pantalones verde olivo, la grasa que le había dejado en las manos el platillo que devoraba, y mientras los demás trataban de socorrer al *Gos,* que chillaba debajo de un carrito con licores, él retomó su lugar en la mesa y se sirvió una ración gigante de espaldilla y dijo a Jovita y a Teodora, que lo miraban indecisas entre la admiración y la repugnancia: en mi tierra todo el tiempo lidio con vainas como ésa.

En febrero de 1964, Fontanet organizó una junta en la terraza de su casa, donde, después de la primera tanda de menjules, Doménech les comunicó a todos que los explosivos estaban listos y posteriormente, sin darles tiempo para procesar la información, el matelot explicó a grandes rasgos los movimientos del operativo que proponía la gente de Schilling en Madrid. Durante las semanas siguientes viajaron casi todos los días a la comandancia de Río Blanco, una serie de viajes que oficialmente se conocía como inspecciones cafetaleras de rutina. Ahí Doménech y el matelot, con un plano de Madrid abierto sobre la mesa que ocupaba la mitad de la oficina de operaciones, discutían con los socios de La Portuguesa los detalles del magnicidio. Todo estaba escrupulosamente calculado, se trataba de un plan perfecto, teóricamente infalible, cada inciso estaba respaldado por una carpeta de información donde se especificaba, por ejemplo, por qué se había elegido tal calle, o tal esquina, o tal hora, o por qué iba a colocarse la mina en serie en tal ángulo y por qué se sabía la velocidad que llevaría el coche del caudillo al cruzar tales coordenadas. Todo estaba perfectamente claro y documentado, tanto que los temores de Arcadi comenzaron a diluirse. Incluso Puig, que tradicionalmente había manifestado su reticencia al proyecto, empezaba a entusiasmarse y a participar más activamente en los preparativos y en las discusiones, y esto había atenuado un poco la mala disposición que seguía teniendo González. La oficina de operaciones de la comandancia en Río Blanco era un bohío con techo de palma y suelo de tierra donde el calor, azuzado por los siete cuerpos sudorosos y arracimados en torno al mapa, alcanzaba los grados centígrados de una quemazón. La convivencia física intensa dentro de aquel bohío, más las discusiones que más de una vez rozaron los límites de la bronca, provocaron situaciones que no ayudaban a la cohesión del grupo. A la tensión que producía la antipatía mutua que sentían González y el matelot, se había sumado el desequilibrio que generaba la excesiva empatía entre Doménech y Fontanet; aunque uno era un guerrillero desharrapado y el otro un príncipe, se habían identificado plenamente en el renglón de las parrandas y en la resistencia sobrenatural al alcohol que tenían los dos. Bages y Arcadi se preocuparon la primera vez que los vieron llegar al bohío, con una hora de retraso para la junta y con un aspecto que campeaba entre la resaca y los últimos reflujos de la borrachera, sin embargo, fuera del retraso, todo había transcurrido de manera normal, incluso Fontanet había hecho una observación de una agudeza muy particular sobre un error de cálculo en la mezcla de los explosivos. La misma escena se repitió dos veces más, sin incidentes ni anormalidades, salvo que en una misión tan comprometida y con lujo de explosivos, así se lo dijeron sus socios a Fontanet porque a Doménech no le tenían mucha confianza, más valía que estuvieran todos en sus cinco sentidos. Por otra parte el dinero que habían invertido en el proyecto los socios de La Portuguesa, más otro tanto en donativos de otros grupos republicanos, estaba depositado en una cuenta de banco, de la que Doménech tenía firma y ya González había detectado un faltante que había servido para pagar una de aquellas parrandas. Pero el asunto de las parrandas y del dinero faltante pasó a segundo término porque, en el momento en que empezaba a plantearse, apareció Katy en la puerta de la comandancia general, una joven inglesa rubia de ojos verdes y uno ochenta de estatura que era la novia de Doménech. Katy, que había volado desde Londres alarmada por las historias que se contaban de su novio, decidió que se instalaría en el bohío para no perder de vista al guerrillero, una decisión ridícula porque a Doménech Katy le importaba un rábano y de todas formas se iba por ahí a buscarse aventuras con las nativas de Río Blanco, que le encantaban.

Había otra cosa que preocupaba a los socios de La Portuguesa, que había sido detectada por Bages y dicha sin venir a cuento, irrumpiendo en mitad de una discusión sobre unas toneladas de café molido que debían enviar a Estados Unidos; luego de un manotazo de los suyos en la mesa, que mandó al suelo un platón donde había dulces de leche, gruñó: ¿y dónde coño está el Chelele? La pregunta de Bages abrió un silencio en la mesa, el guerrillero colombiano no podía simplemente desaparecer con toda la información que tenía, sabía demasiado, y tenerlo lejos y fuera de control era un peligro. El caso se planteó durante la siguiente reunión en la comandancia y fue zanjado por Doménech, desde luego apoyado por Fontanet, con una invectiva sobre la indudable integridad del Chelele, que después pasó por la solidaridad que probadamente existía entre los militantes de la izquierda internacional, y que terminó con el anuncio, que dejó fríos a todos, de que el líder sindical también estaba al tanto y que tampoco diría nada. ¿Y cuál es la situación de Katy?, preguntó Arcadi al borde de la desesperación, y en cuanto Doménech iba a comenzar a responderle brincó Fontanet y le dijo que cómo se atrevía a dudar de la integridad de esa mujer que además de comunista intachable era la pareja de un guerrillero heroico; y por la forma en que lo dijo, Arcadi y Bages, que lo conocían como si fuera su hermano, supieron que se aproximaba una complicación mayor. Lo que nos faltaba, le dijo Arcadi en voz baja a Bages en la noche, mientras revisaban con una linterna una zona del cafetal donde había caído una plaga. Coincidieron los dos en que tenían que hacer algo, incluso retirarse del proyecto si era necesario. Pero al día siguiente, cuando se reunieron los cinco en la oficina de la plantación, concluyeron que dar marcha atrás no era un asunto tan simple, en primer lugar Fontanet y Puig, que en los últimos días se había dejado seducir por el encanto bárbaro de Doménech, pensaban que lo del Chelele se estaba sobredimensionando y que de ninguna manera debían dar marcha atrás porque, y esto lo dijo Puig cubierto por un aura donde convivían el entusiasmo y el pánico, de todas formas ya eran culpables; aun cuando dieran marcha atrás los otros iban a matar a Franco con el dinero de ellos, basados en un plan que se había fraguado en su propiedad, de manera que, concluyó Puig ya ligeramente escorado hacia el pánico, más valía quedarse para siquiera tener un mínimo de control. Mientras tanto, en la comandancia general de Río Blanco, el ambiente seguía enrareciéndose, a Doménech Katy efectivamente le importaba un rábano, pero también comenzaba a molestarle lo dispuesto que estaba siempre Fontanet para ayudarla en cualquier cosa, desde ponerle una silla para que se sentara, hasta consolarla cuando Doménech se iba con sus nativas y ella se quedaba tirada y llorosa en un catre que había en un rincón del bohío. Arcadi habló con Fontanet una noche mientras, como empezaba a ser costumbre, revisaban con una linterna la evolución de la plaga en la zona norte del cafetal, le dijo que la situación era insostenible, que tenía que olvidarse de Katy porque iba a ser ridículo que el proyecto se viniera abajo por un lío de faldas, y más en él, que tenía a su disposición a todas las faldas de la comarca. Esa misma noche Arcadi llegó a la crispación después de recibir una llamada telefónica: el embajador Rodríguez, con quien había tenido durante los últimos veinte años contactos telefónicos esporádicos, y que entonces era el embajador de México en Colombia, le dijo, después de saludarlo con la amabilidad de siempre, que se había enterado por el ingeniero Cabeza Pratt del proyecto en el que Arcadi y sus socios andaban metidos. Le dijo para tranquilizarlo que se trataba de información confidencial y clasificada, no de un chisme que se hubiera esparcido por media Latinoamérica, pero también hizo hincapié en que la información existía y constituía un punto vulnerable del proyecto. Arcadi balbuceó dos o tres argumentos antes de que el embajador fuera directamente al grano: mi llamada, Arcadi, y quiero ser muy enfático en esto, obedece a mi necesidad de desaconsejar la participación suya y la de sus socios en este complot de trascendencia internacional. Arcadi balbuceó otras tres cosas antes de colgar el teléfono y salir volando a casa de Bages para contarle lo que acababa de suceder; se sentaron a deliberar en el desayunador, estaban los dos en pijama, Bages sirvió dos vasos de whisky y, antes de probar el suyo, dijo: Estamos jodidos.

En lo que los rojos de ultramar se iban adentrando en la maraña del complot para matar a Franco, en España se promovían los festejos de la paz que hacía veinticinco años, desde el primer día de la dictadura, reinaba en el país. La iniciativa se anunciaba con mucho bombo en las primeras planas de los periódicos y era la consecuencia natural del maquillaje sistemático con que Franco había conseguido atenuar su condición de dictador, para irse metamorfoseando en un mandatario normal, aceptado por la ONU y por la gran mayoría de las democracias internacionales, que había logrado situar a la Guerra Civil, ese cisma que había partido a España en dos, como un acontecimiento menor. Por esos días el poeta Jaime Gil de Biedma escribió un ensayo, luminoso como todos los suyos, donde decía: La Guerra Civil ha dejado de gravitar sobre la conciencia nacional como un antecedente inmediato, se ha vuelto de pronto remota.

Pero el maquillaje sistemático del caudillo no había llegado ni a México ni a La Portuguesa, donde la Guerra Civil era una herida abierta y los republicanos seguían en pie de guerra contra el dictador que no los dejaba regresar a su país. En aquella noche de whiskys en pijama, Arcadi y Bages llegaron a la conclusión de que no hablarían de la advertencia del embajador Rodríguez ni con los demás socios, ni con el matelot ni con Doménech, de quien desconfiaban cada vez más. En la comandancia general cada quien había establecido terminantemente su posición, y la información que tenía Rodríguez, que en realidad era la misma que tenían Katy o el Chelele, no iba a alterar en nada esas posiciones y en cambio sí iba a tensar todavía más la convivencia, que ya entonces, en la víspera de la prueba de los explosivos, era insoportable. Esa tarde la situación en la comandancia general había alcanzado nuevos límites: mientras se ponían de acuerdo en los detalles de la prueba del día siguiente, el matelot y González se habían hecho de palabras. La discusión era sobre las responsabilidades que tendría cada uno en la prueba, y de pronto González, fuera de sí, con el color subido hasta los tonos de su barba, gritó que qué cojones hacía esa rubia borracha ahí metida todo el tiempo. Un silencio hermético cayó sobre la mesa, el gesto que hizo Doménech los dejó helados, se puso de pie pesadamente, se sirvió un trago de ron y dijo, mirando a la cara a cada uno, con unos ojos donde había restos de innumerables asesinatos: si tanto les molesta, sáquenla de aquí. Nadie se movió ni abrió la boca, Doménech se bebió su vaso de un trago y como si no hubiera pasado nada dijo: sigamos con lo de mañana. Esa noche Bages fumaba un puro en su terraza cuando vio que por la orilla del cafetal pasaban, sigilosamente y a paso veloz, Fontanet seguido de Katy, que le sacaba medio metro de estatura. Bages salió alarmado tras ellos y, como quien contempla los prolegómenos del desastre, los vio meterse en casa de Fontanet, que estaba a unos quinientos metros de la suya. De todas las amenazas que pendían sobre el proyecto esa locura le pareció la más grave de todas, y más después de haber visto hacía unas horas el gesto criminal de Doménech. Cuando iba de regreso, pensando en contarle a Arcadi lo que estaba pasando, se encontró con Puig, que venía de revisar la plaga que seguía extendiéndose por la zona norte del cafetal. Puig le dijo que ya lo sabía, que hacía tres noches González había visto lo mismo, y entonces Bages y Puig repararon en que hacía días que ni tenían reuniones de socios, ni hablaban entre ellos, ni de ese desastre que se avecinaba, ni de la plaga que se estaba devorando parte del cafetal. Según el testimonio de Bages, que en el vídeo de Marie dice más cosas de Arcadi que de él mismo, mi abuelo estuvo a punto de contarle a Carlota lo que estaba sucediendo. Se sentía cada vez peor con su doble vida, que además de obligarlo permanentemente a mentir, le impedía trabajar y disfrutar de su familia, que acababa de alcanzar la tercera generación; al final Arcadi había pensado que el proyecto para él estaba a punto de terminar, que al día siguiente harían las pruebas y después Fontanet y el matelot se irían a Madrid a perpetrar el magnicidio y él, en la medida en que su familia ignorara el complot, podría volver a su vida normal, así que lo mejor, pensó Arcadi entonces, era mantener a Carlota al margen.

Al día siguiente salieron muy temprano a probar los explosivos, a que Doménech les enseñara de qué forma montarlos y cómo hacerlos explotar. Era el último inciso antes del viaje a Madrid. La prueba era simple pero había que tomar medidas para que la explosión no alarmara a los vecinos. Doménech eligió la curva oculta de un lecho seco de río que en la prehistoria había sido afluente del río Blanco y que volvía a llenarse de agua cada vez que caía un chubasco, cosa bastante frecuente en esa zona, y también muy conveniente, pues el caudal se llevaría hasta el último rastro de la explosión. La prueba se había programado a las siete de la mañana para que la detonación coincidiera con las explosiones de dinamita que tres días a la semana, a esa misma hora, tronaban en las aguas del río Blanco. Aquellas explosiones obedecían a un método brutal que usaban los pescadores de la región: lanzaban media docena de cartuchos al río, que, al hacer explosión, levantaba desde el fondo un hongo de agua y lodo cargado de peces muertos. El método era sumamente efectivo, pescaban cincuenta o cien peces de un solo cartuchazo que luego iban a venderse al mercado y a freírse en una sartén que quedaba oliendo a pólvora. Los socios de La Portuguesa llegaron en el automóvil de González, Puig recuerda que en todo el trayecto no se pronunció una sola palabra, que incluso Fontanet, el más extrovertido de los cinco, iba mirando la carretera silencioso y meditabundo. Aunque llegaron puntualmente Doménech ya estaba ahí con una muestra de su mina en serie colocada y un montón de cajas y ladrillos y pesos muertos que, con la ayuda del matelot, había puesto encima como simulacro del coche del caudillo. Cuando empezaron las explosiones en el río Blanco se colocaron alrededor del simulacro de automóvil, Doménech decía que era importante que todos supieran cómo operar el explosivo, por si algo imprevisto pasaba; luego se colocó debajo del coche simulado y fue explicando de manera muy didáctica la forma en que debían seriar los explosivos, había que ir engarzándolos punto por punto en el filamento y posteriormente había que agregarle a cada punto una gota de catalizador, y este último paso había que darlo con sumo tiento porque en cuanto la gota entraba en contacto con el material explosivo, el punto se volvía sensible y podía activarse si no se manejaba con precaución. Doménech explicaba esto mientras aplicaba el catalizador y el resto lo escuchaba tratando de no perder detalle, registrándolo todo a través de los huecos que quedaban entre las cajas y los ladrillos y la pedacería de hierro que fungía de peso muerto. Cuando terminó se deslizó hacia atrás, todavía de espaldas contra el suelo, con un movimiento que dejaba patente su experiencia en escabullirse por los territorios donde peleaba guerrillas, un movimiento veloz, preciso y sagaz que pareció hecho por un cuerpo motorizado. Se puso de pie y se retiró del automóvil simulado y todos lo siguieron para aprender cómo operaba el aparato de control remoto con el que iba a activar su mina en serie. Parado a una distancia prudente, junto a una roca enorme, Doménech explicó el procedimiento y justamente después de que explotara uno de los cartuchos de dinamita del río Blanco, dio la orden de que todos se protegieran detrás de la roca y oprimió el interruptor. El ruido que produjo la mina en serie fue un estruendo mayor que desde ningún ángulo podía confundirse con los cartuchos de los pescadores. El coche simulado del caudillo voló por los aires como lo había hecho el del Cochupo en su tiempo, la explosión produjo poco humo pero dejó en el aire un olor a veneno químico que picaba en las narices. Doménech se levantó y, junto con él, su grupo de aprendices. Con una señal imperativa que nació en sus cejas y fue a parar en un movimiento de mano, les indicó que revisarían el lugar de la explosión, de manera fugaz porque lo recomendable era abandonar la zona cuanto antes, no fuera a ser que llamadas por ese tronido colosal llegaran las gentes de por ahí. A medio camino Puig detuvo al pelotón para decirles que Arcadi no venía. Bages y Doménech corrieron detrás de la piedra donde se habían agazapado y encontraron a Arcadi tirado, inconsciente, espolvoreado de tierra y de pedruscos: una pieza metálica, la parte de una máquina de las que habían servido de peso muerto para el automóvil simulado del caudillo, le había caído de mala forma en el brazo izquierdo. Del brazo de Arcadi salía un reguero de sangre que escurría y formaba un charco, una poza que no alcanzaba a formarse porque de inmediato era absorbida por la tierra.

La prueba había sido un éxito rotundo y Fontanet y el matelot debían irse a Madrid cuanto antes, dijo Doménech mientras acomodaban a Arcadi, inconsciente y con un torniquete lodoso a la altura del codo, en el asiento trasero del coche de González.

Bages y González trasladaron a Arcadi a un hospital de Orizaba, mientras Puig y Fontanet se reunían con Doménech y el matelot en la comandancia de Río Blanco; Peter Schilling tenía todo a punto en Madrid y esperaba la llegada de los explosivos y de los dos agentes de ultramar. Doménech explicó que ya había una fecha específica para matar al dictador, un día y una hora en que Franco tenía programado un acto: la inauguración de la primera sucursal del Bank of Oregon, la institución bancaria que significaba el principio de las grandes inversiones estadounidenses en España, y asistir a su acto inaugural era una prioridad para el dictador. Cerca del mediodía, en un momento en que pudieron estar a solas, Puig le dijo a Fontanet que no le había gustado nada la ligereza con la que Doménech había tomado el accidente de Arcadi. A Fontanet tampoco le había gustado, pero entendía que una misión de esa envergadura no podía retrasarse por un accidente que, por otra parte, había sido oportunamente atendido y estaba bajo control.

Laia y mi abuela llegaron al hospital de Orizaba convocadas por lo que oficialmente había sido un accidente con una máquina despulpadora de café, hablaron con un médico que les explicó la situación, que en ese momento no era grave pero tenía elementos para complicarse. Arcadi estaba en una cama, en una habitación grande donde convalecía una decena de enfermos. Le habían hecho una cirugía de emergencia en el brazo y estaba en un estado de somnolencia que alarmó a Carlota aun cuando el médico le aseguró que se debía a los efectos de la anestesia. A media tarde, cuando Arcadi ya no tenía energía ni para abrir los ojos y presentaba una palidez espectral, el médico decidió que tenía que volver a intervenirle el brazo.

La reunión en la comandancia general terminó cerca de las cinco, todo estaba a punto, la parte del proyecto que iba a hacerse en ultramar había quedado concluida. Katy había estado presente durante aquella última reunión, oyéndolo todo recostada en su catre como lo había hecho casi en todas, luego había decidido quedarse en el bohío mientras los demás se iban a comer a la cantina. Después del accidente de Arcadi una celebración parecía un exceso, pero luego de una discusión, que pasó por un episodio de gritos entre Puig y Fontanet, habían concluido que era importante tener un acto social mínimo para que el final de ese proyecto quedara plenamente establecido. Puig, según cuenta él mismo en el vídeo, asistió a la comida a regañadientes, nada más porque se trataba de la clausura de ese proyecto que ya empezaba a detestar; en cambio Fontanet, apenas unos minutos después de la discusión a gritos, se había puesto locuaz y eufórico, como si ya hubiera matado a Franco. Doménech estaba más bien pensativo y de vez en cuando reía alguna de las ocurrencias de Fontanet o del matelot, que eran los que llevaban la fiesta en la mesa, y Puig, cada vez que podía, le recordaba a Fontanet que no hacía ni doce horas que Arcadi había sufrido el accidente, y que encima él todavía tenía la responsabilidad de viajar a Madrid y con esa fiesta y ese ritmo iba a llegar maltrecho y tembloroso a colocar las minas. Tres horas más tarde, cerca de las ocho, Puig intentó llevarse a Fontanet, ya se había bebido mucho en la mesa y la conversación, que a esas alturas estaba acaparada por Doménech, empezaba a ir por derroteros peligrosos. Con más traza de corsario que de cristo, Doménech hablaba con demasiados detalles sobre una sesión de tortura que él había conducido en la cárcel de La Unión, en la frontera entre El Salvador y Honduras; hablaba en un tono monocorde y con los ojos fijos en un punto indefinido entre los hombros de Fontanet y los del matelot. A las nueve y media se levantó Puig a hablar por teléfono con Mariona, su mujer, para decirle que iba tarde y también para preguntarle si sabía algo de Arcadi. El teléfono estaba sobre la barra y desde ahí la mesa de sus colegas, la única que a esas horas seguía ocupada, tenía un aspecto teatral, estaba envuelta en una nube de humo y las tres figuras aparecían difuminadas por la luz escasa que caía desde un foco. El dueño de la cantina dormitaba en una silla detrás de la barra y se sobresaltaba cada vez que Doménech lo sacaba de su amodorramiento para pedirle más tragos. Después de hablar con su mujer Puig marcó el número del hospital de Orizaba, y luego de mucho insistirle a la voz que le había contestado logró que Carlota se pusiera al teléfono. La escuchó decirle con la voz llorosa y mormada que habían tenido que operar otra vez a Arcadi y que a mitad de la intervención habían detectado un principio de gangrena gaseosa, y que en el intento de extirpar la carne contaminada habían ido amputando secciones pequeñas hasta que, al cabo de cinco horas, el médico había decidido que había que amputar el brazo completo. Puig colgó el teléfono desencajado, por lo que acababa de decirle mi abuela y porque, mientras se lo decía, el monólogo de Doménech se había convertido en una discusión a tres voces y, en unos instantes, había evolucionado en una gritería que había despertado al cantinero y puesto de pie a Doménech, que, fuera de sí, había sacado un revólver de la cintura y apuntándole a Fontanet en la cabeza le había gritado un parlamento donde aparecía Katy. Fontanet brincó de su silla y encaró a Doménech, el matelot trató de contenerlo, de hacerlo entrar en razón mientras Puig, a grandes zancadas, corría a la mesa para tratar de sujetar a Doménech por la espalda, un intento que falló porque en los segundos que le tomó llegar de la barra a la mesa ya Doménech había disparado dos tiros y Fontanet yacía despatarrado en el suelo. Doménech y el matelot desaparecieron inmediatamente de la escena, Puig trató de socorrer a su amigo, se arrodilló junto a él y en cuanto vio la dimensión del daño, la rapidez con que la sangre se iba de ese cuerpo, trató de confortarlo y de procurarle un final en paz.

Unas horas más tarde Puig, Bages y González irrumpieron en la comandancia general de Río Blanco y la encontraron vacía, no había ni planos, ni documentos, ni nada. Doménech, el matelot y Katy se volatilizaron junto con el dinero que había en la cuenta de banco, y los tres socios de La Portuguesa que quedaban en pie concluyeron que denunciar el asesinato de Fontanet, por el grado de implicación que tenían en el complot, era del todo imposible, más valía decir que su amigo había muerto en un pleito de cantina; una muerte, por lo demás, bastante común en aquella selva.

Siguiendo las instrucciones de Schilling el matelot viajó solo a Madrid. Después del asesinato de Fontanet, él, Doménech y Katy se habían ido a la Ciudad de México y desde una habitación en un hotel del centro terminaron de cuadrar la operación. El matelot viajó el día que estaba previsto, llevaba los filamentos y los puntos de explosivo escondidos en una maleta de mano, y el líquido catalizador en una botella de loción. El plan que llevaba era muy sencillo, llegando a Madrid debía trasladarse a una dirección específica en el barrio de Lavapiés y ahí debería esperar las instrucciones de Schilling y, sobre todo, no debería moverse por ningún motivo de ese piso. Al día siguiente, veinticuatro horas después de su llegada, preocupado porque los tiempos del magnicidio comenzaban a descuadrarse, se decidió a marcar el número de contacto que le había mandado Schilling para que lo usara sólo en caso de que fuera estrictamente necesario. Aunque el teléfono fue descolgado nadie le contestó del otro lado, él tampoco dijo nada y a partir de ese momento comenzó a sospechar que las cosas no iban bien, faltaban dos días para el atentado y nadie había entrado en contacto con el hombre de los explosivos. Cinco minutos después de la llamada infructuosa, un comando de la policía de élite de Franco derribó la puerta del piso y lo aprehendió.

El matelot pasó once años preso y fue liberado en la primera amnistía después de la muerte de Franco. Regresó a Burdeos y ahí murió en 1986, cerca de los noventa años. De Peter Schilling o Hans o como quiera que se llamara nunca se supo nada, Marie Boyer estuvo durante muchos años tras su pista hasta que, por insistencia de su padre, desistió en 1982. Marie tampoco pudo seguir la pista de Doménech, pero asegura que Jean-Paul, su padre, tenía contacto con él aunque lo negaba permanentemente. Con quien sí dio fue con Katy, o mejor dicho, Katy apareció en el Matelot Savant en 1980; había dejado a Doménech unos días después de que el matelot abordara el avión rumbo a Madrid y había regresado a Londres, a casarse con un novio que la esperaba y a montar una vida estándar de la que se sentía muy satisfecha. Durante tres horas habló con el matelot sobre su pasado común en la selva de Veracruz, tenía la intención de contrastar unos recuerdos con otros, de aclarar ciertos pasajes, de hacerse una versión más precisa de aquella historia que seguiría rumiando el resto de sus días. Después regresó a esa vida de la que se sentía muy satisfecha, aunque a veces, dijo, todavía pensaba en Doménech, por puro morbo, completó, aunque Marie detectó más que eso en la manera en que Katy se refería a ese hombre que, veinte años atrás, había matado por ella.

Arcadi salió del hospital, sin el brazo izquierdo, una semana después del desastre. Bages lo puso al tanto de la muerte de Fontanet: no había sido en una pelea de cantina, como le había dicho Carlota, y lo habían enterrado en el jardín de su casa, envuelto en una bandera republicana. Del destino de Doménech y el matelot nunca se enteraron, aunque al correr de los días quedó claro que el proyecto de matar a Franco había fallado. Tampoco supieron que durante aquella semana trágica, cuando todo en La Portuguesa comenzó a venirse abajo, el gobierno del dictador estrenaba, en todos los cines de España, la biografía filmada *Franco, ese hombre,* como parte de los festejos del veinticinco aniversario de la paz.

La guerra de Arcadi

El día que murió Franco hubo una conmoción en La Portuguesa. Recuerdo nítidamente las escenas fúnebres que transmitía la televisión, pero sobre todo el gesto de incredulidad con que Arcadi las miraba. Después del noticiario se reunieron todos en la terraza de Bages, no a celebrar, como habían imaginado siempre que lo harían, sino a preguntarse qué iban a hacer de ese día en adelante. Aun cuando la muerte de Franco había despejado el camino, pasaron dos años antes de que Arcadi se decidiera a regresar a Barcelona. Cada semana le comunicaba a Carlota un pretexto distinto que aplazaba el viaje: cuando no había que supervisar una siembra, había que cosechar, o desecar, o triturar, o moler, cualquier cosa le servía para no enfrentar lo que él sospechaba que iba a sucederle. Los tres meses que habían destinado para ese viaje de reencuentro terminaron reduciéndose a quince días en los que Arcadi se paseó como una sombra por el territorio de su vida anterior. En medio de aquel ir y venir, que tuvo a Carlota todo el viaje con los pelos de punta, descubrió que no reconocía casi nada. Su hermana Neus, con quien había hablado por teléfono cada diciembre durante treinta y siete años, era una voz que para nada correspondía con esa señora que efectivamente se parecía a él pero con quien, y esto lo venía a descubrir ahí de golpe, no tenía nada que ver. Arcadi había construido otra vida del otro lado del mar, mientras su hermana había purgado ahí mismo, como había podido, varias décadas de posguerra. Lo mismo le pasó con la ciudad que recorrió ansioso buscando referentes, buscándose a sí mismo en tal bar, en tal esquina, en tal calle, hasta que se armó de valor y fue al piso de Marià Cubí con la idea de pedirle al conserje que lo dejara merodear, ver el vestíbulo y las escaleras, y si era posible entrar a su antiguo piso; pero cuando llegó descubrió que el edificio había sido demolido y que en su lugar había un mamotreto moderno de vidrios ahumados lleno de consultorios y oficinas. Pero el golpe definitivo, al parecer, se lo dio la lengua, el catalán que había preservado, junto con sus amigos, durante tanto tiempo en La Portuguesa, y que había transmitido a dos generaciones, era una lengua contaminada, híbrida, con un notorio acento del ultramar. Durante aquellos quince días Arcadi, que llegó buscándose a Barcelona, terminó, a fuerza de frentazos y desencuentros, por borrar su rastro y luego le dijo a mi abuela que ya había tenido suficiente y que quería regresar a casa, que para él su hermana era una voz y Barcelona una colección de filminas que desfilaba cada domingo por la pared en la casa de La Portuguesa.

A partir de entonces, era el año 78, Arcadi comenzó un viraje vital del que no regresaría nunca. La primera señal, que entonces pasó desapercibida, fue la asiduidad con que lo visitaba el padre Lupe; era uno más de los visitantes que caían cíclicamente a La Portuguesa, una comunidad flotante de personajes de todo tipo, políticos, funcionarios del gobierno, el entrenador de los Cebús, el director de la banda municipal, el gerente de una incipiente cadena de supermercados, el alcalde y hasta el gobernador del estado de Veracruz, todos iban ahí de visita con la misma intención, que en general era sacarles un donativo, en dinero o en especie, a los catalanes. El padre Lupe era una autoridad eclesiástica en Galatea, dirigía una parroquia y originalmente se había acercado a Arcadi para pedirle un donativo, era un franciscano de hábito y sandalias con una desagradable propensión a los mimos ñoños y un mal aliento que nos hacía huir de su saludo. Luego Arcadi comenzó a devolverle las visitas, se metía a conversar durante horas con él en su parroquia, hasta que un día Teodora, la criada eterna, se lo encontró en misa de siete, sentado entre dos viejecitas murmurantes y enjutas, muy peinado y bien vestido, con su prótesis de gala y un misal donde iba siguiendo, fervorosamente, las oraciones que decía el padre Lupe. Teodora lo vio y no se quedó a la misa, fue directamente a avisarle a Carlota y Carlota, que ya algo sospechaba, fue a hablar con Bages a la oficina de la plantación. Lo de Arcadi era una rareza, pero la verdad es que todo empezaba a cambiar en aquella comunidad: González llevaba meses en cama porque había sufrido una serie de infartos y, como el médico se lo había advertido, moriría en menos de un año, seguido por su viuda cuatro meses después. Los Puig, cuyos hijos estudiaban en la Ciudad de México o se habían casado y vivían en otro sitio, habían regresado a España a principios del 76 y desde entonces no habían vuelto, incluso le habían pedido a Bages que vendiera la parte que les correspondía de La Portuguesa y que les enviara el dinero, cosa que Arcadi y Bages resolvieron comprándole su parte por medio de una temeraria maniobra económica que dejó severamente tocado el equilibrio financiero de la plantación. Carmen le había pedido el divorcio a Bages después de cuarenta y tantos años de casados, y hecha esta petición había regresado a Figueras, donde le quedaban una hermana y un sobrino, y ahí había descubierto que su matrimonio había desaparecido con la guerra y que no constaba en ningún acta. Bages se había quedado solo en su caserón, sus hijos, como los de todos, habían emigrado a la capital y él comenzó a extender la hora del menjul, la continuaba con el vino de la comida y de ahí se encadenaba con una sucesión de whiskys hasta que oscurecía. De manera que lo de Arcadi era un elemento más de los nuevos vientos que azotaban a La Portuguesa, así se lo dijo Bages a Carlota y luego le prometió que hablaría con él.

La misa de siete de Arcadi fue convirtiéndose en cosa de todos los días, oía los sermones del padre Lupe, comulgaba y después se iba a trabajar a la plantación. Tú no puedes comulgar, Arcadi —le decía Bages a la hora del menjul en la terraza—, eres un rojo y los rojos no comulgan. Las misas de Arcadi tuvieron su efecto colateral en la gachupinada de Galatea, la sociedad de españoles que vivía ahí desde antes de la guerra, el grupo de católicos franquistas, que tradicionalmente había visto con cierta repugnancia a los refugiados, ahora invitaban a Arcadi y a Carlota a sus bailes en el casino español. Bages montaba en cólera, manoteaba y golpeaba la mesa y del golpe tiraba los menjules al suelo y se levantaba con los brazos al aire como un oso y gritaba: ¡ostiaputamecagoenesosfachasdemierda, Arcadi, collons, no puedes claudicar así!, y volvía a golpear la mesa y entonces se iba al suelo un plato con aceitunas y un servilletero. Y Arcadi lo miraba impasible, sus ojos azul profundo imperturbables encima de la ira del oso, no había cómo hacerlo reaccionar, de los bailes del casino español había pasado a las oraciones en la mesa, antes de comer sus alimentos; yo recuerdo el día, era el verano del 82 y estaba ahí de vacaciones, ya entonces vivíamos con Laia y papá en la Ciudad de México: Arcadi golpeó el canto del plato con el filo de su garfio y dijo que antes de comer deseaba decir una oración, y enseguida comenzó a darle gracias al Señor por los alimentos recibidos, juntó la mano con el garfio y elevó los ojos al techo y siguió con una parrafada sobre el pan y sobre el vino. Para ese año Bages había extendido también ha-

cia atrás la hora del aperitivo, inauguraba el día a las siete
y media de la mañana con un carajillo y luego encadenaba
uno tras otro, cada vez con menos café, para terminar con
tazas de whisky puro justamente antes de la hora del menjul. Paralelamente, como paliativo para la soledad en que
lo había dejado Carmen, empezaba a visitarlo un atajo de
nativas, y en ese remolino alrededor de su figura monumental, y de lo que quedaba de su fortuna, reapareció
un día la Mulata, que había sido reina del béisbol, mujer
del ingeniero Cabeza Pratt y amante del Jungla Ledezma. Después del Jungla, catcher de los Cebús y el último
de sus amantes de quien se recuerda el nombre, la Mulata había comenzado a perderse en una progresión suicida
de cuerpos y de tragos. Hay quien dice, y aunque debe ser
una exageración resulta bastante ilustrativa, que en 1978,
para celebrar el encuentro final del campeonato, no el del
Triángulo de Oro sino el de una liga inferior, se acostó en
la noche con todos los integrantes del equipo campeón,
las Chicharras de Chocamán, y de madrugada, a título rigurosamente compensatorio, con todas las Nahuyacas Asesinas de Potrero Viejo, que habían quedado subcampeo-
nes. A partir de esta nota de gloria incuestionable dentro
de su especialidad, la Mulata se había dedicado a vaga-
bundear por Galatea y a gastarse en tragos la modesta he-
rencia que le había dejado el ingeniero Cabeza y que el
gobierno cubano había esquilmado cobrándose a lo chi-
no un impuesto revolucionario. Con todo y lo desmedi-
do del impuesto, la cantidad le había dado para un lustro
ininterrumpido de guarapo. La Mulata bebía a sorbitos de
un botellín cochambroso que cargaba siempre en sus va-
gabundeos, dormía donde la sorprendía la noche y comía
lo que alguna mano piadosa le daba. Al paso de los años
Galatea fue olvidando que había sido reina del béisbol y
estrella de calendario y también, no se sabe exactamente

cuándo, dejó de ser la Mulata para convertirse en la negra Moya, así, como la negra, apareció durante un breve periodo en la vida de Bages, revuelta con el atajo de nativas que lo visitaba. Carlota casi se volvió loca cuando la vio tomando aperitivos en la terraza, ataviada con un vestido largo que usaba Carmen, en la misma pose presuntuosa que había adornado durante años la puerta de su cocina. Aquella breve estancia sirvió para que yo le preguntara qué había dentro de la maleta negra de su ex marido Cabeza Pratt. Tuvo que hacer un esfuerzo, cerró teatralmente los ojos, hizo una mueca y antes de responderme se bebió el menjul de un sorbo y le gritó a una de las criadas que le sirviera otro, sus uñas largas y llenas de mugre parecían una enfermedad sobre el cristal. Como si súbitamente lo hubiera recordado todo, se enderezó en la silla y dijo: ¿Y quién es ese señor Cabeza?

La posición de Arcadi se fue extremando hacia un punto radicalmente opuesto del que Bages comenzaba a alcanzar, y entre los dos quedó un vacío que, en 1990, los orilló a vender tres cuartas partes de la plantación; fue la única forma que encontraron para salir de las deudas que, durante años de descuidos y malos manejos, había engendrado el negocio, aunque según Carlota y Laia algo más sensato podía haberse hecho, si no hubieran estado los dos tan metidos en sus cosas. El primer efecto de aquella reducción drástica del terreno fue la notoriedad que adquirió el elefante; al quedarse sin selva donde triscar, había tenido que empezar a hacer su vida alrededor de las casas. Llevaba quince años de ser la única mascota, el *Gos* había muerto en el 70 y él había ocupado con tal convicción su lugar, que de un día para otro su alimentación había pasado de la paca de forraje a la tinaja de alimento para perro. Ya entonces el elefante era un ejemplar viejo, tenía cierta incontinencia y una considerable torpeza destructiva, de un pisotón aniquilaba una podadora de césped o echaba una barda abajo de un recargón, y además iba soltando, de manera caprichosa y aleatoria, plastas de caca amarilla sobre una maceta o sobre un asador de carne, o encima del maletero de alguno de los automóviles.

Arcadi había dejado de frecuentar el casino español y de asistir a sus misas, y en su lugar había comenzado un repliegue que al principio tuvo lugar en una habitación donde habilitó una especie de estudio para leer y pensar, según explicó, y que con el tiempo fue evolucionando en una cosa más seria, que para 1992 se había convertido en una guarida de donde no salía más que un par de horas para tomar el aperitivo con Bages. Bages, por su parte, en el otro extremo, había contratado una vistosa plantilla de criadas, excesivas para las necesidades de un viejo solo, que, según Teodora y Carlota, dormían por turnos con él, cosa que era de agradecerse porque ya entonces Bages llevaba varios años herméticamente borracho y su séquito impedía que se fuera a Galatea a hacer destrozos y a meterse en líos y así todo quedaba en familia. La cosa no pasaba de que Bages se metiera a correr a medianoche al cafetal y que amaneciera cubierto de tajos y magullones, o de que fuera a gritarle a Arcadi, en la cima de una de sus fases iracundas, a cualquier hora del día o de la noche, que ya era hora de que mataran a Franco.

La primera vez que oí a Bages gritando eso pensé que era parte de su delirio alcohólico y no el eco de aquel magnicidio que habían estado a punto de realizar. Era 1995 y yo estaba ahí con la idea de grabarle a Arcadi esas cintas con las que pensaba llenar los huecos que había en sus memorias. Entonces ya había sacado su estudio de la casa y se había trasladado a un cobertizo en medio de la jungla, se había dejado crecer el pelo y la barba y estaba en los huesos, más que un vagabundo parecía un santo. Siguiendo las órdenes de Carlota, que, aunque había decidido que no quería verlo más, estaba al pendiente, Teodora le llevaba de comer tres veces al día unos platos fastuosos que contrastaban con la austeridad de Arcadi y que eran, la mayoría de las veces, devorados por el elefante, que vivía una vejez perezosa echado afuera del cobertizo. De una caja de cartón donde conservaba algunas pertenencias Arcadi había sacado sus memorias para dármelas, aquel día en que, quizá harto de mis preguntas sobre la guerra, había cedido, no sé si para que por fin me callara o para ponerme sobre la pista del complot, o quizá para que me diera cuenta de que efectivamente había sido otro, y no él, quien había peleado la Guerra Civil; y para comprobarlo bastaba verlo convertido en un santón de la selva. Puede ser que Carlota se hubiera equivocado cuando, desde lo alto de la escalerilla del Marqués de Comillas, vio a Arcadi esperándola en el muelle del puerto de Veracruz, y lo que vio entonces desde arriba fue un hombre normal al que no se le notaban las secuelas ni de la guerra ni del campo de prisioneros; si Carlota hubiera observado con más atención habría descubierto que ese hombre era otro, que la pequeña Laia tenía razón cuando no vio en él al hombre de la fotografía. El repliegue de Arcadi tenía que ver con su capitulación, con su retirada, era la representación de la derrota, en el fondo se parecía al repliegue de los miles de individuos que vivieron la guerra y que, puestos frente a la memoria de aquel horror, decidieron, como él, replegarse, darle la espalda, perder aquel episodio incómodo de vista, pensar que esa guerra había sido peleada por otros, en un lugar y en un tiempo remotos, tan remotos que en aquella aula de la Complutense y en la playa de Argelès-sur-Mer, unas cuantas décadas más tarde, apenas queda memoria de esa guerra. Al final, al maquillaje que con tanta dedicación puso el general Franco sobre la Guerra Civil se fue sumando el acuerdo colectivo de olvidar.

Arcadi murió de un cáncer voraz a mediados del 2001. Yo lo vi unas semanas antes, mi abuela había muerto hacía un año y Bages estaba en el hospital, convaleciendo de un infarto con muy mal pronóstico. Arcadi seguía metido en su cobertizo, que ya para entonces había sido tomado por las alimañas por más que Teodora, la criada inmortal, trataba de combatirlas con todo tipo de venenos. Al mal aspecto que tenía se sumaba que ya no quería ponerse su prótesis y eso lo hacía verse más desvalido. Hacía una semana que el elefante se había perdido en la selva y Arcadi sostenía, con una aprensión que rayaba en la demencia, que se había ido a morir a otra parte. Le conté que había estado releyendo sus memorias y oyendo las cintas que habíamos grabado y que la idea de hacer algo con todo eso empezaba a entusiasmarme. Mira que eres necio, nen, me dijo, eso fue todo. Después me miró extrañado, como si no me reconociera, y luego volvió al plato de huevos revueltos que se estaba comiendo con la mano.

Índice

Los rojos de ultramar se terminó de imprimir en junio de 2005, en Megacrox, Sur 113-B, 2149, Col. Juventino Rosas C.P. 08700, México, D.F.